Y Llychlynwyr yng Nghymru

Ymchwil Archaeolegol

gan Mark Redknap

AMGUEDDFEYDD AC ORIELAU CENEDLAETHOL CYMRU
CAERDYDD 2000

I Catrin, Caio a Ianto

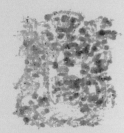

© Cyhoeddwyd gyntaf yn 2000 gan
Amgueddfeydd ac Orielau Cenedlaethol Cymru
Parc Cathays
Caerdydd
CF10 3NP

Cyfieithwyd gan Glenys Roberts
Cyhoeddwyd hefyd yn Saesneg dan y teitl
Vikings in Wales. An Archaeological Quest (2000)

ISBN 0 7200 0487 X

Manylion Cataloguing in Publication y Llyfrgell Brydeinig
Mae cofnod catalog CIP o'r llyfr hwn ar gael gan y Llyfrgell
Brydeinig.

Gosodwyd a dyluniwyd gan Arwel Hughes,
Amgueddfeydd ac Orielau Cenedlaethol Cymru.

Argraffwyd yng Nghymru gan MWL Print Group Ltd, Pont-y-pŵl.

Cynnwys

Cyflwyniad

Yn y gorffennol, digon prin oedd y cyhoeddiadau am hanes ac archaeoleg y Llychlynwyr a oedd yn cynnwys tystiolaeth o Gymru. Yn y llyfr hwn ceisiais roi darlun cyffredinol o'u heffaith, trwy gyfrwng crynodebau o dystiolaeth hanesyddol, canlyniadau cloddio archaeolegol diweddar ac yn arbennig trwy ffigurau, mapiau a ffotograffau o rai o union arteffactau a safleoedd y cyfnod. Lle bo hynny'n briodol, gosodir y rhain o fewn cyd-destun ehangach y cyfnod ym Mhrydain ac Iwerddon. Ar lawer agwedd, anghyflawn o hyd yw'n dealltwriaeth o Gymru yn oes y Llychlynwyr, ac ar adegau damcaniaethu a wneir. Bydd ymchwil yn y dyfodol yn brawf ar ein gwaith.

Gwaith ditectif yw gosod yr hanes at ei gilydd yn llawn fesul darn. Daw rhai o'r datblygiadau yn y maes yn sgil ein gwaith arferol a chyswllt â'r cyhoedd, megis gwybodaeth wirfoddol am ddarganfyddiadau archaeolegol. Er enghraifft, ym 1992 cyrhaeddodd pecyn o wrthrychau a ddarganfuwyd ar safle ym Môn yr Adran Archaeoleg a Nwmismateg gyda chais inni geisio eu hadnabod. Cynhwysai'r pecyn ddarnau arian a thri phwysyn plwm bychan, a ddyddiwyd i'r wythfed, y nawfed a'r ddegfed ganrif OC. Roedd pwysynnau'r masnachwyr yn arbennig o ddiddorol; awgryment gryn weithgarwch Sgandinafaidd yng nghyffiniau'r man lle cawsant eu darganfod.

Yn fuan wedyn roeddwn ar fy ffordd i'r safle hyd lôn goediog gul a throellog a groesai'r pantiau rhwng y ponciau calchfaen tuag at hen ffermdy o gerrig llwydion. Croesawyd fi gan Roger Tebbutt, y ffarmwr, ac i ffwrdd â ni ar draws y caeau i edrych ar y gwahanol fannau-darganfod, cyn dychwelyd i'r ffermdy am sgwrs. Rhoddwyd hen dun bisgedi ar y bwrdd a gwahoddwyd fi i graffu ar y manion a gasglwyd o'r caeau dros y blynyddoedd. Yn ei waelod yr oedd rhoden fer â phatina gwyrdd - rhan uchaf pin cylchog o aloi copr o'r math sy'n perthyn i'r ddegfed ganrif ac a ddarganfuwyd mewn cloddfeydd mewn safleoedd fel Dulyn y Llychlynwyr. A gafwyd hyd iddi yn agos i'r darnau arian neu'r pwysynnau? Pa fathau o weithgareddau a gynrychiolid gan y pethau hyn? A ellid darganfod darnau eraill o'r pos hwn? Felly y dechreuodd cyfnod newydd yn yr ymchwil archaeolegol am dystiolaeth am Lychlynwyr yng Nghymru.

Mark Redknap, Caerdydd.
Mai 2000

Paganiaid

Bellach mae tuedd i ddefnyddio'r gair *Viking*, a ddefnyddiwyd gyntaf mewn Saesneg modern ym 1808, am yr holl Sgandinafiaid yn ystod y cyfnod o ganol yr wythfed ganrif i tua diwedd yr unfed ganrif ar ddeg OC. Yn ystod 'Oes y Llychlynwyr', yr oedd y term Hen Norwyeg *víkingr* yn cyfeirio at fôr-leidr, rhywun a âi *i víking*, neu i ymladd ac ymosod ar y môr. Y tu allan i Sgandinafia, defnyddid geiriau ac ymadroddion eraill yn Gymraeg a Lladin am yr ymosodwyr hyn, megis *Kenedloed, Kenedloed Duon, y Llu Du, Paganiaid, Normanyeit Duon* (defnydddir yr holl dermau hyn yn y blwyddnodau Cymraeg), neu *Ostmen* ('gwŷr o'r dwyrain'). Nid oedd awduron cyfoes bob amser yn siŵr o ble y deuai'r cyrchwyr ac, yn wir, byddai llu o Lychlynwyr yn aml yn cynnwys pobl o wahanol leoedd. Awgryma tystiolaeth archaeolegol a hanesyddol i nifer sylweddol groesi o Norwy i ogledd a gorllewin Prydain, Iwerddon, Gwlad yr Iâ a rhai i'r Ynys Las. Yr oedd yn well gan y Daniaid Loegr a chroesasant hefyd i Iwerddon, tra ffafriai'r Swediaid wledydd y Baltig. Defnyddir y term Llychlynwyr yma fel term cyffredinol i ddynodi'r bobl Sgandinafaidd hynny a gymerai ran mewn cyrchoedd ymosodol. Ar adegau defnyddir y gair i ddynodi cyfnod, yn unol â'r arfer safonol.

Er bod peth masnach rhwng Llychlyn, Prydain ac Iwerddon cyn i'r cyrchoedd ddechrau ar ddiwedd yr wythfed ganrif, i'r mwyafrif o drigolion môr-ladron paganaidd rheibus a ddysgasai feistroli llwybrau'r môr oedd y Llychlynwyr cyntaf y cawsant brofiad ohonynt. Ymhen amser, sefydlwyd aneddiadau, canolfannau masnach a thiriogaethau, a rhoddir gwahanol enwau cymysgiaith ar y cyfnodau diweddarach hyn:'Gwyddelig-Norwyeg' o gwmpas Môr Iwerddon, 'Eingl-Lychlynnaidd' yng ngogledd Lloegr, a 'Chambro-Norwyeg' am y cyfnod rhwng *c.* 850 a *c.* 1100 yng Nghymru. Nid rhwydd yw ystyried yr olaf o'r rhain heb ystyried digwyddiadau yn yr ardaloedd cyfagos.

O ddiwedd yr wythfed ganrif mae ffynonellau hanesyddol yn cofnodi cyfres o ymosodiadau enbyd gan ysbeilwyr Llychlynnaidd ar lannau Prydain, Ffrainc ac Iwerddon, ar drywydd cyfoeth cludadwy (megis bwliwn, gwystlon i'w pridwerthu, neu gaethweision). Credai rhai o'r dioddefwyr mai cosb ddwyfol oedd y cyrchoedd ar bobl bechadurus (cofnodir sylw o'r fath yn llys Siarlymaen yn niwedd yr wythfed ganrif gan yr athro a'r pregethwr o Northumbria, Alcuin). Mae ymchwil fodern wedi awgrymu amrywiaeth o ffactorau a allai egluro'r cynnydd hwn mewn môr-ladrata, er yr amheuir rhai ohonynt bellach. Mae'r ffactorau hynny'n cynnwys twf mewn poblogaeth a galw oherwydd hynny am ragor o dir (credir bellach i'r ehangu i diroedd ymylol yn Norwy ddechrau'n ddiweddarach), datblygiadau mewn adeiladu llongau, cynnydd mewn masnach ac apêl lleoliadau arfordirol diamddiffyn a chyfoethog gorllewin Ewrop. Gorfodwyd rhai o arweinwyr y Llychlynwyr i allfudo oherwydd newidiadau yn y gymdeithas Sgandinafaidd, megis y canoli cynyddol ar rym a chyfoeth. Ymosododd rhai Llychlynwyr er mwyn crynhoi cyfoeth a grym cyn ceisio adennill pŵer gartref, tra ceisiai eraill wneud enw neu ennill tiroedd dramor.

Ystyrir y Llychlynwyr yn aml yn ysbeilwyr a choncwerwyr, ac yn sicr yr oedd y cyswllt episodig â Phrydain yn dreisgar ac yn peri anhrefn ond, er hynny, y mae safbwynt arall. Yr oedd y Llychlynwyr hefyd yn fforwyr a gwladychwyr, a'r rhai hynny ohonynt a ymsefydlodd yn cynnwys masnachwyr, ffermwyr a chrefftwyr medrus. Amrywiai eu dylanwad yn sylweddol o ardal i

dec mlyneð a deugaint ac wythgant oeð oed krist pan laðawð y paganyeid gyngen (y llinellau uchaf ar y chwith)

1 Cofnod llawysgrif o *Brut y Tywysogyon* sy'n cofnodi'r cyrchoedd cyntaf (Peniarth 20C; ffolio 69R. Trwy ganiatâd Llyfrgell Genedlaethol Cymru).

ardal ac mae'r dystiolaeth a geir i'w presenoldeb yng Nghymru yn bur wahanol i'r hyn a ddaw o fannau eraill ym Mhrydain a wladychwyd yn llwyr ganddynt (megis Ynysoedd Erch a Shetland). Mae'r ymchwil am gofnod cyfoes o gyswllt â gwŷr Llychlyn ac am arwyddion o'u perthynas â phoblogaeth frodorol Cymru yn cwmpasu disgyblaethau hanes, ieithyddiaeth, archaeoleg a nwmismateg. Golyga dilyn y trywydd hwn ddatblethu syniadau rhamantaidd poblogaidd a hanesion dychmygol oddi wrth dystiolaeth fwy cymhleth a dibynadwy ymchwil archaeolegol.

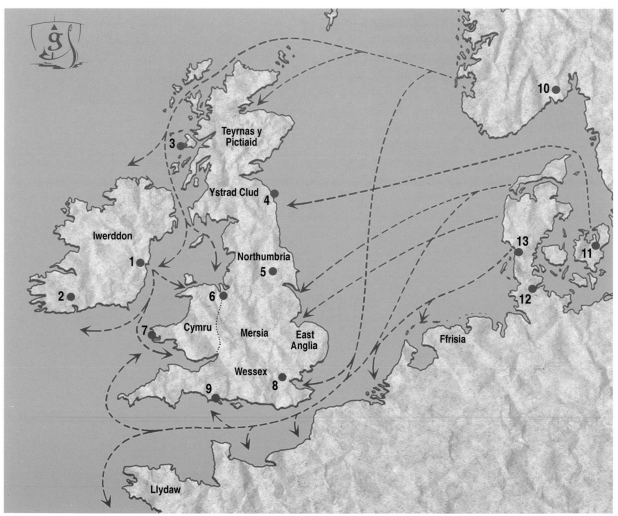

2   *Y prif fôr-lwybrau yn Oes y Llychlynwyr.*
   1. Dulyn; 2. Corc; 3. Iona; 4. Ynys Metgawdd (Lindisfarne); 5. Caer Efrog; 6. Caer; 7. Tyddewi; 8. Llundain; 9. Portland Bill; 10. Kaupang; 11. Roskilde; 12. Hedeby; 13. Ribe.

3 Bu cyrchoedd mynych ar fynachlog ganoloesol gynnar ynys Iona yng ngogledd-orllewin yr Alban gan y Llychlynwyr (gan gynnwys y blynyddoedd 795, 802, 806, 825). Mae'r blwyddnodau'n cofnodi i greirfa Sant Columba a chreiriau eraill 'ddod i Iwerddon ar ffo rhag yr estroniaid' yn 878.

VIKINGS' RAIDS ON GLAMORGAN.

BISHOP OF LLANDAFF AS A HOSTAGE.

918 INVASION RE-TOLD

A BLANK PERIOD IN WELSH ARCHÆOLOGY.

Dr. R. E. Mortimer Wheeler, M.C., F.S.A., keeper of the London Museum and formerly director of the National Museum of Wales, gave a lecture before the Cardiff College Archæological Society on Friday (when Miss Mildred Johnson presided) on "The Heathen Men," which is one of the descriptions given to the Norwegian and Danish invaders of Great Britain and Ireland, who settled here between the ninth century and the Norman Conquest. Dr. Wheeler said these invaders came to Glamorgan as early as the year 795, and when they returned in the year 918 they captured the Bishop of Llandaff and held him to ransom until his freedom was secured by the payment to them by King Edward of a sum of £40, which, of course, would represent a much bigger figure in the [...]

Dr. R. E. Mortimer Wheeler, M.C., F.S.A.

THE UNIVERSITY COLLEGE OF SOUTH WALES AND MONMOUTHSHIRE ARCHAEOLOGICAL SOCIETY AND THE NATIONAL MUSEUM OF WALES

request the pleasure of the presence of you and your friends at

A LECTURE

TO BE DELIVERED AT UNIVERSITY COLLEGE, CATHAYS PARK, CARDIFF, On Friday, the 26th November, 1926, at 7.30 o'clock p.m., by E. MORTIMER WHEELER, M.C., F.S.A., Entitled: "HEATHEN MEN."

Yr *Annales Cambriae*

Mae blwyddnodau cynnar Cymru (yr *Annales Cambriae*), ynghyd â chofnodion eraill, yn ffynhonnell bwysig o wybodaeth yn yr iaith Ladin am ddigwyddiadau yn ystod Oes y Llychlynwyr. Fe'u copïwyd yn y mynachlogydd fel arolygon blynyddol o ddigwyddiadau a ysgrifennid ar femrwn. Yn Nhyddewi cadwyd cofnodion cyfoes o ddiwedd yr wythfed ganrif i ddechrau'r drydedd ganrif ar ddeg, gan ddefnyddio'r ffynonellau a oedd yn hysbys i nodi digwyddiadau o'r bumed i'r wythfed ganrif. Fersiynau Cymraeg yw'r casgliadau canoloesol a elwir yn *Brut y Tywysogyon*, a luniwyd mewn canolfannau fel Ystrad Fflur yn y drydedd ganrif ar ddeg, o destun Lladin seiliedig ar yr *Annales*, ac maent weithiau'n cynnwys gwybodaeth ychwanegol.

4 Adroddiad o'r Western Mail ym 1926 am ddarlith ar Forgannwg yn Oes y Llychlynwyr gan Mortimer Wheeler, Cyfarwyddwr Amgueddfa Genedlaethol Cymru (1924-26).

Geni Myth Llychlynnaidd

Ar wahân i dystiolaeth y blwyddnodau, ni chynhyrchodd unrhyw groniclydd o Gymru hanes trefnus i adrodd digwyddiadau'r nawfed a'r ddegfed ganrif. Wrth adrodd hanes ei daith trwy Gymru gyda'r Archesgob Baldwin ym 1188, dau sylw yn unig a wnaeth yr ysgolhaig a'r clerigwr Gerallt Gymro (*Giraldus Cambrensis*) am effaith y Llychlynwyr (ac eithrio cyfeiriadau at weithredoedd 'môr-ladron' a gofnodwyd yn y blwyddnodau). Honnodd i'r cyrchoedd gan wŷr Denmarc a Norwy arwain at lygru iaith ardaloedd gogleddol Lloegr, tra bod y Gymraeg, y Gernyweg a'r Llydaweg wedi aros yn agosach at y Frythoneg wreiddiol (yn sicr prin oedd yr effaith ar y Gymraeg). Yn ail, credai fod canu corawl a rhan-ganu traddodiadol yng Nghymru yn debyg i'r hyn a geid ar draws afon Humber ac yn swydd Efrog a thybiai i Saeson y gogledd gymryd eu rhan-ganu oddi wrth y Daniaid a'r Norwyiaid, gan ddangos ymwybyddiaeth o orffennol Llychlynnaidd.

O ddiwedd y ddeunawfed ganrif, ymaflodd synnwyr newydd o hunaniaeth genedlaethol mewn pobl o wahanol rannau o Ewrop ac arweiniodd hynny at ymchwil am rywbeth diriaethol ynglŷn â'u gwreiddiau o fewn y diwylliant Cristnogol a rannent. Ar y dechrau, cynrychiolai gwŷr Llychlyn ddiwylliant barbaraidd. Mewn rhai gwledydd, buan y cyfunwyd apêl rhamantaidd chwedlau'r Llychlynwyr ag adfywiad yn y diddordeb yn y Tiroedd Gogleddol ac ymchwil am hynafiaid 'gogleddol' agos - pobl gyntefig ond aruchel. Ym Mhrydain, ar un ystyr ailddyfeisiwyd y Llychlynwyr yn unol â syniadau Fictoraidd am hil, ysbryd herfeiddiol a'r budd o fod â 'gwaed Llychlynnaidd yn llifo trwy wythiennau Prydeinig'.

Er mai prin y cyfeiriadau mewn llenyddiaeth gynnar at y Llychlynwyr yng Nghymru (fel y gerdd o'r ddegfed ganrif, *Armes Prydain*, 'Proffwydoliaeth Prydain'), parhaodd haen o ddiddordeb poblogaidd mewn Norwyiaid a Daniaid yma fel mewn rhannau eraill o Brydain yn ystod y bedwaredd ganrif ar bymtheg, a adlewyrchai'r rhamantiaeth a dreiddiai trwy nofelau hanesyddol Saesneg y cyfnod. Ysgogwyd diddordeb yn y sagâu Llychlynnaidd, ac er na ellir ystyried y testunau diweddar hyn yn ffynonellau hanesyddol cywir, yr oedd rhai o awduron y sagâu yn amlwg yn gyfarwydd â rhai ardaloedd, gan gynnwys Cymru o bosibl, ac yn adlewyrchu bydolwg y Llychlynwyr.

SWANSEA SCIENTIFIC SOCIETY.

ROYAL INSTITUTION,

MONDAY, 3rd DECEMBER, 1900, at 8 p.m.

PALNATOKI

AND

WALES.

Mr. ALEX. G. MOFFAT will read a Paper on this celebrated Danish Chief's connection with SOUTH WALES.

Discussion Invited.

ADMISSION FREE.

5 *Hysbyseb am ddarlith gyhoeddus ar y Llychlynwyr.*

Yn y 1860au cyhoeddodd y Cymro George Ernest John Powell o Nanteos, sir Geredigion (1842-82), cyfaill i Swinburne a Longfellow, gerddi dan y ffugenw *Miölnir Nanteos* (cyfeiriad at y morthwyl *Mjöllni*, a oedd yn eiddo i'r duw Nordig Thór). Cydweithiodd hefyd â'r ieithegwr o Wlad yr Iâ, Eiríkur Magnússon ar gyfieithiad o *Hávarðar saga Ísfirðings*, chwedlau o Wlad yr Iâ a gasglwyd gan Jón Arnasson (1864, 1866). Un o lenorion blaenllaw y 1890au, yr offeiriad o Orllewin Lloegr, y Parchedig Sabine Baring-Gould, oedd awdur *Grettir the Outlaw: A Story of Iceland* (1891), a chydweithiodd â John Fisher ar *Lives of British Saints*. Tuedda ffynonellau naratif fel y 'bucheddau' hyn i ganolbwyntio ar ddigwyddiadau dramatig, megis cyrchoedd ar eglwysi, ac maent felly'n aml yn or-ddramatig.

Defnyddiwyd ymchwil ddiweddar ac ymchwil archaeolegol gan awduron ffuglen hanesyddol. Mae *The People of the Black Mountains* (1990), nofel ysgubol Raymond Williams am ddigwyddiadau ysgytwol ym mywydau pobl y Mynydd Du yn sir Frycheiniog, yn disgrifio ymosodiad dychmygol gan y Cenhedloedd ar grannog Llyn Syfaddan, Llan-gors, a brwydr rhwng eu harweinydd 'Agnar' a'r cymeriad hanesyddol Tewdwr ap Elisedd, brenin Brycheiniog, a seilir digwyddiad arall ar yr ymosodiad yn yr unfed ganrif ar ddeg gan Gruffydd ap Llywelyn, â chymorth y *Cenhedloedd Duon*, ar Went ac ar ysbeilio Henffordd. Cyhoeddwyd y llyfr hwn ychydig cyn cyfnod o gloddio gan Amgueddfeydd ac Orielau Cenedlaethol Cymru a Phrifysgol Caerdydd ar y

crannog yn Llan-gors, a sefydlodd iddo gael ei godi yn hwyr yn y nawfed ganrif, ac mai llys brenhinol ydoedd yn ôl pob tebyg i linach Brycheiniog, yn ystod teyrnasiad Elisedd ap Tewdwr a Thewdwr ap Elisedd. Yn ôl pob tebyg fe'i dinistriwyd yn 916 gan fyddin o Mersia ac anfonwyd i Gymru gan ferch Alfred, Æthelflæd.

Cymerodd Ellis Peters, brenhines y stori dditectif hanesyddol, ddigwyddiadau a gofnodwyd yn y blwyddnodau Cymreig am y flwyddyn 1144 a chanolbwyntiodd ar y gwrthdaro rhwng Owain Gwynedd a'i frawd Cadwaladr fel sail i'w stori *The Summer of the Danes* (1991). Yn yr hanes hwn, daw Cadwaladr yn ôl o'i alltudiaeth â llynges Lychlynnaidd o Ddulyn a huriwyd am 2000 marc.

6 *George E. J. Powell o Nanteos, llun o 1860. (Trwy ganiatâd Llyfrgell Genedlaethol Cymru).*

Sagâu

Yn Hen Norwyeg, ystyr wreiddiol y gair saga *oedd 'yr hyn a ddywedir', ond ymhen amser daeth i olygu naratif rhyddiaith a ysgrifennwyd yn y ddeuddegfed ganrif neu'n ddiweddarach. Yr oedd rhai o'r sagâu yn chwedlau hanesyddol manwl am farwolaeth ac anrhydedd, wedi eu seilio'n llac ar gymeriadau a digwyddiadau'r cyfnod, tra bod eraill yn adlewyrchu mythau, duwiau a rhamantau. Yr anhawster yw penderfynu i ba raddau y mae'r rhain yn cofnodi hanes llafar dibynadwy - os o gwbl.*

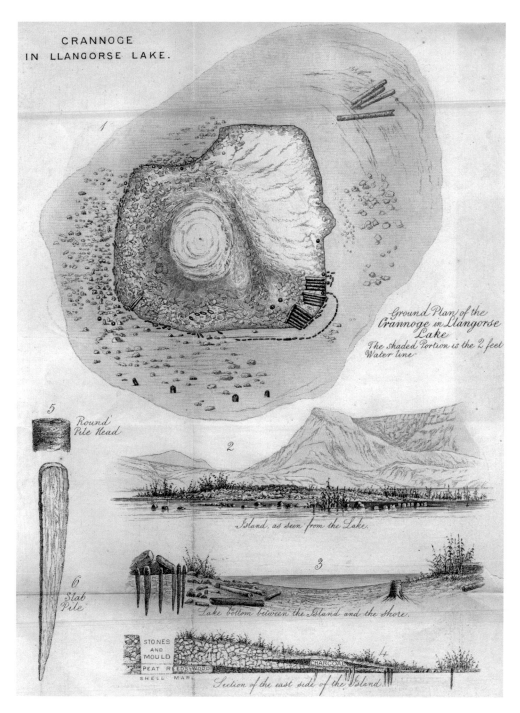

CRANNOGE
IN LLANGORSE LAKE.

Ground Plan of the
Crannoge in Llangorse
Lake
The shaded Portion is the 2 feet
Water line

Round
Pile Head

5

6
Slab
Pile

2

Island, as seen from the Lake.

3

Lake bottom between the Island and the Shore.

STONES
AND
MOULD
PEAT REEDS WOOD
SHELL MARL

CHARCOAL

4

Section of the east side of the Island.

7   *Cynllun o'r crannog brenhinol yn Llyn Syfaddan, Llan-gors, Powys, a gyhoeddwyd ym 1870 (atgynhyrchwyd o*
   Archaeologia Cambrensis). *Gwyddys bellach i'r crannog gael ei adeiladu rhwng 889 a 893, a'i ddinistrio yn 916.*

'Bretland'

Mae'r *Jómsvíkinga saga* lled-chwedlonol o Wlad yr Iâ, a roddwyd ar gof a chadw tua 1200, yn adrodd hanes cymuned o ryfelwyr Llychlynnaidd yn y Baltig. Yn y saga, a osodir yn y ddegfed ganrif, mae sylfaenydd 'Jómsborg' ar arfodir deheuol y Baltig, yr arweinydd Llychlynnaidd Pálna-Tóki (tad-maeth y Brenin Svein), yn arwain ymosodiad ar *Bretland* ('Tir y Brythoniaid') ac yn priodi yno ferch yr Iarll Stefni, Álöf ac ymgartrefu. Yma mae Pálna-Tóki yn cwrdd â Björn *hinn brezki* (Hen Norwyeg), Björn 'y Cymro', ac fe'i gwneir yn gyfrifol am eu buddiannau. Ychydig, er hynny, sydd i awgrymu mai at Gymru yr oedd y person a ysgrifennodd y saga hon oddeutu'r flwyddyn 1200 yn cyfeirio, ac fe allai mai cyfeirio'n unig at 'dir pellennig na wyddys fawr ddim amdano' y mae Bretland yma.

8 *Delwedd ramantaidd gan J. Finnemore o* Kormak the Viking, *fersiwn gan J. F. Hodgetts o'r* Kormák's saga *o Wlad yr Iâ, a gyhoeddwyd gan* The Religious Tract Society *ym 1902. Dylanwad y 19eg ganrif a welir yn ystrydeb addurniadol yr helmed gorniog neu adeiniog, nad oes iddi sail archaeolegol.*

Yr oedd gan ddiwylliant Llychlynnaidd afael nerthol ar ddychymyg y bedwaredd ganrif ar bymtheg ac ni chyfyngid y diddordeb i lenyddiaeth yn unig. Amlygir hyn gan George Silk, a ofynnodd i'r ieithegwr o Wlad yr Iâ, Guðbrandur Vigfusson argymell cyfansoddwr a oedd 'yn hoff o'r môr' a allai osod ei eiriau ar 'ysbryd Palnatoki a Llychlynwyr Jomsborg' i gerddoriaeth. Ledled Prydain, rhennid dysg â'r cyhoedd trwy ddarlithoedd, a byddai llusern-sleidiau weithiau'n cyd-fynd â'r darlithoedd hynny. Ysgrifennydd Rhanbarth Morgannwg o'r Viking Club (a sefydlwyd ym 1892) oedd Alexander Moffat (1855-1940), perchennog llongau ac un o golofnau'r Sefydliad Brenhinol yn

Abertawe. Cyhoeddodd Moffat ymdriniaeth ar enwau lleoedd Llychlynnaidd ym Mhenrhyn Gŵyr ac ym 1900 rhoddodd ddarlith ar elfen 'Bretland' y *Jómsvíkinga saga*, gan geisio dangos sut y bu i Pálna-Tóki a Svein Fforchfarf, brenin Denmarc a thad Cnut, ymgartrefu am beth amser yn ne Cymru. Ehangu yr oedd ar y farn a fynegwyd ym 1848 gan yr hynafieithydd o Abertawe, George Grant Francis (1814-82) wrth aelodau o'r Gymdeithas Brydeinig bod 'Swansea' yn tarddu o'r Hen Norwyeg *Svein's Eie* ('Ynys Sweyn'). Yr oedd Moffat yn grediniol mai Svein Fforchfarf oedd y person y tu ôl i'r enw hwnnw, a bod Svein wedi defnyddio Abertawe fel *pied à terre* a chyrchborth ar gyfer cyrchoedd ymosodol. Nid ymddengys i ddarlith Moffat ddarbwyllo pawb yn ei gynulleidfa. Un arall a oedd hyd yn oed yn fwy tanbaid ei sêl dros darddiad Nordig enwau lleoedd oedd Dr D. R. Paterson o Gaerdydd, a gynigiodd darddiad Sgandinafaidd i ragor o leoedd fel Sili (*sulr-ey*, ynys colofn-graig) a Chaerdydd (*caer-þyfi*, twmpath-gaer); ni dderbynnir y naill na'r llall o'r esboniadau hyn bellach.

9 *Wyneb dychmygol Svein Fforchfarf, brenin Denmarc, sydd i'w weld wrth ddynesu at Siambr y Cyngor, Neuadd y Ddinas, Abertawe (a godwyd ym 1932-36). Derbyniodd y Gorfforaeth gyngor Edmund Ernest Morgan, pensaer y fwrdeistref, y dylid cydnabod Svein Moffat yn swyddogol.*

10 *Llun gan Gertrude Demain Hammond (1862-1952) o Harald, First of the Vikings (Garrap, 1930) gan y Capten Charles Young. Yr oedd hwn yn seiliedig ar fywyd y Brenin Norwyaidd, Harald Fanwallt (Haraldr hárfagri), yr oedd Gruffudd ap Cynan yn ei honni'n hynafiad ar ochr ei fam.*

Moroedd Newydd

They let out the raines loose to all barbarous cruelty, driving, harrying, spoiling and turning upside down where ever they went (William Camden, 1610).

Fel pe dan len o niwl y môr, cip yn awr ac yn y man a geir ar bresenoldeb y Llychlynnwyr yng Nghymru yn sgil gwaith gan hynafieithwyr o'r unfed ganrif ar bymtheg ymlaen. Gwrthodwyd ambell un o'u dehongliadau ar ôl ei ailystyried.

Yr oedd *Historie of Cambria* David Powel (1584), a oedd yn seiliedig ar gyfieithiad o'r Blwyddnodau gan y llenor a'r cartograffydd Humphrey Llwyd (1527-68), yn cynnwys hanes cyrchoedd y Daniaid. Y gwaith hwn oedd y prif awdurdod ar y cyfnod hyd nes y cyhoeddwyd *History of Wales* John Edward Lloyd ym 1911.

Dibynnai astudiaethau cynnar ar unigolion a ymhyfrydai mewn ysgolheictod ac a gawsai gyfle i'w feithrin. Ystyriai William Camden (1551-1623) y Daniaid yn fôr-ryfelwyr barbaraidd, ac yn yr argraffiad Saesneg cyntaf o'i *Britannia* (1610) rhydd ddisgrifiadau erch o aberthu i Thor (*Thur*). Cymedrolwyd syniadau o'r fath am heidiau o ymosodwyr Danaidd gan ysgolheictod rhesymegol. Noda argraffiadau diweddarach o *Britannia* Camden am Fôn, er enghraifft, *Nor was it afterwards harass'd by the English only, but also the Norwegians.* Edward Lhuyd (1660-1709) oedd olynydd Dr Robert Plot fel Ceidwad Amgueddfa'r Ashmolean yn Rhydychen. Yr oedd yn ysgolhaig disglair a ddiwygiodd y cofnodion Cymreig ar gyfer argraffiad newydd Edmund Gibson o *Britannia* Camden a ymddangosodd ym 1695, oedd yn cynnwys disgrifiad o'r groes faen o'r ddegfed ganrif a elwir bellach yn 'Faen Achwyfan' ger Chwitffordd, gogledd Cymru. Ymhlith ei bapurau anghyhoeddiedig, a gopïwyd gan ei gynorthwyydd William Jones, ceir darlun o groes debyg yn Allt

Melyd ychydig i'r gogledd o Ddyserth, y mae darn ohoni i'w weld o hyd yn Amgueddfa Grosvenor, Caer. Sylweddolodd yr awdur topograffaidd, Richard Fenton (1747-1821) bwysigrwydd y cyswllt Llychlynnaidd â Chymru, ac yn ei *Historical Tour through Pembrokeshire* (1811) cysylltodd lawer o'r cloddweithiau ar bentiroedd â 'môr-ladron Danaidd'.

Yn ystod y bedwaredd ganrif ar bymtheg, canolbwyntiodd ysgolheigion yng Nghymru ar sylfeini ieithyddol, llenyddol a hanesyddol y diwylliant cenedlaethol. Ymwelodd yr archaeolegydd Danaidd, J. J. A. Worsaae (1821-85)

11 Darnau arian Edgar (959-75) - mae'n debyg eu bod yn rhan o gasgliad bychan sydd bellach ar goll, ond a gafwyd ar safle'r hen ysgubor degwm ger Eglwys Gadeiriol Bangor (Gardd y Ficerdy) – fel y'u cyhoeddwyd ym 1846.

ag Ynysoedd Prydain ym 1846-47 i astudio'r olion Sgandinafaidd. Yr oedd ei drafodaeth gwta ar Gymru, y teithiodd yn gyflym trwyddi o Gaergybi i Gaer, yn ei lyfr *An Account of the Danes and Norwegians in England, Scotland, and Ireland* (1852), yn adlewyrchu rhagdybiaethau'r cyfnod. Yn ystod

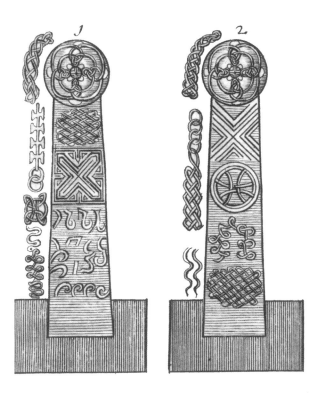

12 Y groes o'r ddegfed ganrif a elwir Maen Achwyfan, *fel y'i darluniwyd yn argraffiad Edmund Gibson o* Britannia Camden (1695), *a oedd yn cynnwys ychwanegiadau gan Lhuyd. Ym 1695 ysgrifennodd Edward Lhuyd:* 'When this Monument was erected, or by what Nation, I must leave to farther enquiry ... Dr Plot in his History of Staffordshire [1686] gives us the draughts of a Monument or two, which agree very well with it in the chequer'd carving, and might therefore possibly belong to the same Nation. Those, he concludes to have been erected by the Danes ...' *(t. 830).*

y cyfnod hwn bu ysgolheigion yng Nghymru yn gweithio ar y rhyddiaith Gymraeg hynaf. Cydweithiodd Dr J. Gwenogvryn Evans (1852-1930) â Syr John Rhŷs ar destunau *Brut y Tywysogion* o *Lyfr Coch Herges*t (1890), croniclau sy'n cofnodi ymosodiadau cyntaf y Llychlynwyr ar Gymru ac yn eu disgrifio fel 'difwynwyr y wlad'. Ym 1860 y cyflwynwyd y traddodiad am yr arweinydd Llychlynnaidd Ingimund a'i ddilynwyr yn nechrau'r ddegfed ganrif am y tro cyntaf i efrydwyr gyda chyhoeddi'r *Annals of Ireland, Three Fragments*, John O' Donovan gan yr Irish Archaeological and Celtic Society, Dulyn. Dosbarthodd J. Romilly Allen (1847-1907), a fu'n aelod o'r *Cambrian Archaeological Association* o 1875 ymlaen, yr addurnwaith ar gerflunwaith cyn-Normanaidd yng Nghymru, gan gynnwys yr enghreifftiau a ddangosai ddylanwad Llychlynnaidd. Mae llawer o'i waith yn dal i ddylanwadu ar astudiaethau o waith carreg addurnol o gyfnod y Llychlynwyr.

Oes unigolyddiaeth ddigyfaddawd oedd y bedwaredd ganrif ar bymtheg, oes pan oedd gan amaturiaid a chlerigwyr dawnus yr addysg a'r modd i ddilyn eu diddordebau personol. Yr oedd hyn yn cynnwys brwdfrydedd dros y Llychlynwyr a ledodd i Gymru. Tanysgrifiodd yr ysgolhaig Connop Thirlwall, Esgob Tyddewi i gyfieithiad 1856 C. W. Heckethorn o gerdd naratif Swedaidd boblogaidd yr Esgob Esaias Tegnér, *Frithiof's Saga* (1824), sy'n seiliedig ar un o'r sagâu mytholegol-arwrol o Wlad yr Iâ. Ym 1875 yn ei anerchiad agoriadol i'r *Cambrian Archaeological Association* ar wladychiad Sgandinafaidd ar arfordir a glannau Aberdaugleddau, dyfalai Esgob Tyddewi, William Basil Jones: '*Fishgard and Hasgard, as well as "Skokholm" and "Skomar" have a Danish air about them*'. Yr oedd yr hynafieithydd toreithiog Octavius Morgan yn ymwybodol, o ffynonellau o'r fath, o effaith y Daniaid ar lannau gogleddol Môr Hafren, effaith a welir yn yr enwau Steep Holm a Flat Holm. Mae'r adroddiad a gyhoeddodd ar yr *Ancient Danish Vessel Discovered at the Mouth of the*

13 Buasai golygfeydd fel hyn o Benrhyn St. Ann yn
gyfarwydd iawn i forwyr Llychlynnaidd wrth iddynt
hwylio'n ôl ac ymlaen i Aberdaugleddau ac arfordir
deheuol Cymru.

Usk (1882) yn cynrychioli un o'r darganfyddiadau
cyntaf yng Nghymru i'w priodoli i'r Llychlynwyr.
Ategwyd y casgliad hwn gan farn y docfeistr lleol,
a oedd yn gyfarwydd ag adeiladu llongau yn y
Baltig, ac efallai y dylanwadwyd arno gan
ddarganfod llong Lychlynnaidd drawiadol
Gokstad, a gyhoeddwyd yn yr un flwyddyn gan
Hynafiaethydd Gwladol Norwy, N. Nicolaysen.
Darllenodd Morgan adroddiad am long Gokstad yn
yr Illustrated London News. Yr oedd y tebygrwydd
cyffredinol fel petai'n cadarnhau barn Morgan mai
'ymosodwyr Danaidd neu Ogleddol o'r Baltig' oedd
yn gyfrifol am long Casnewydd. Erbyn hyn credir
bod y llong yn dyddio o ddiwedd yr unfed ganrif
ar ddeg neu'r ddeuddegfed ganrif (gweler t. 60).

Mae olion arian Llychlynnaidd a ddarganfuwyd
yng Nghymru yn cynnwys casgliad bychan o
ddarnau arian a gafwyd ym 1845 yng ngardd y
Ficer Hŷn ger y Gadeirlan ym Mangor, y casgliad
ysblennydd o freichrwyau o'r Traeth Coch, Môn (y
credir iddynt gael eu darganfod rhwng tua 1887 a

1894), a'r casgliad o ddarnau arian a hacarian
(darnau wedi eu torri i'w defnyddio fel bwliwn) a
ddarganfuwyd mewn amgylchiadau nas
cofnodwyd ym 1894 ar ochr ddwyreiniol Stryd
Fawr Bangor, safle diweddarach Banc y Midland o
bosibl. Ond prin ac anfynych fu darganfyddiadau
o'r fath.

Yn dilyn gwaith yn y 1930au gan Dr B. G. Charles o
Adran Lawysgrifau Llyfrgell Genedlaethol Cymru,
mae astudiaethau gan haneswyr fel yr Athrawon
Henry Loyn a Wendy Davies wedi creu fframwaith
gwerthfawr ar gyfer ymchwil fodern, ond hyd yn
ddiweddar ychydig fu gan archaeolegwyr i'w
ddangos i gynrychioli Oes y Llychlynwyr yng
Nghymru.

1. Supposed original appearance of the ship, fully equipped.
2. The " King's Hill," where the ship was found.
3. The ship on May 27, after being excavated.
4. Remains of fore-part of sepulchral chamber, seen from the stern.
5. Remains of sepulchral chamber, seen from the stern.
6. Stock of the anchor, 19 ft. or 20 ft. long.

7. The rudder, above 12 ft. long.
8. Oars, 19 ft. or 20 ft. long.
9. Smaller oars, for the small boats found in the ship.
10. Rudder for small boat.
11. Spade, 5 ft. long, somewhat damaged.
12. Remains of a bedstead.

THE NORWEGIAN VIKING SHIP DISCOVERED NEAR SANDEFJORD, NORWAY.

14 Llong Lychlynnaidd Norwyaidd.
Cafodd darganfod llong Gokstad ym 1880 sylw byd-eang, a hon fyddai llong Lychlynnaidd nodweddiadol y cyfnod. Mae'r ffigur hwn, a ddaw o rifyn 24 Gorffennaf 1880 yr Illustrated London News, yn dangos atgynhyrchiad (chwith uchaf), ynghyd â'r twmpath lle darganfuwyd y llong (de uchaf). Ysgogodd darganfyddiadau Sgandinafaidd o'r fath ddiddordeb yn niwylliant y Llychlynwyr, a bwrw goleuni newydd ar chwedlau awduron y sagâu.

15 Croes o ddiwedd yr unfed ganrif ar ddeg/dechrau'r ddeuddegfed ganrif o Dyddewi, sir Benfro, yn dangos dylanwad Llychlynnaidd (ECMW 382). Mae'r arysgrif yn cofféu meibion yr Esgob Abraham, a laddwyd mewn cyrch gan y Llychlynwyr ym 1080.

16 Y casgliad o freichrwyau arian o ddechrau'r ddegfed ganrif o'r Traeth Coch, Môn. Diametrau allanol : 65mm, 71mm (3x), 73mm. (NMW 28.215/1-5)

Enwau Lleoedd Llychlynnaidd

Bu aneddiadau Llychlynnaidd ym Mhrydain yn anodd iawn eu hadnabod, ond mae enwau lleoedd Sgandinafaidd eu tarddiad yn dystiolaeth i faint y gwladychiad Llychlynnaidd ym Mhrydain, Iwerddon a Normandi. Mae'n debygol, er hynny, bod llawer enw o'r fath yn ne Cymru yn dyddio o gyfnod ar ôl 'Oes y Llychlynwyr', ac iddynt gael eu cyflwyno gan wladychwyr o'r Ddaenfro (y rhan honno yng ngogledd a dwyrain Lloegr a oedd yn ddarostyngedig i reolaeth Sgandinafaidd) yn dilyn y Goncwest Normanaidd.

Mae dau brif ddosbarth o enwau lleoedd Llychlynnaidd yng Nghymru. Y dosbarth cyntaf yw'r enwau hynny a gadwyd am nodweddion arfordirol amlwg a ddefnyddid yn gymorth i fordwyo. Maent yn arbennig o gyffredin ar hyd y llwybr morol i Fryste, ac maent yn adlewyrchu tra-arglwyddiaeth y Llychlynwyr ar y morffyrdd a'u symudiadau o gwmpas yr arfordir. Mewn llawer man cadwodd y brodorion enwau Cymraeg ar y rhain (fel Ynys Enlli am *Bardsey*, Ynys Môn am *Anglesey*). Mae'r grŵp cyntaf hwn yn cynnwys yr elfennau cyffredin -*holmr* ('ynysig', 'ynys') fel yn *Priestholm* (*presta*, 'offeiriad' -*holmr*) - sef Ynys Seiriol (*Puffin Island*) bellach; *Grassholm* (*gres*, 'glaswellt' -*holmr*), *Skokholm* (*stokkr*, 'polyn' -*holmr*), *Gateholm* (*geit*, 'gafr' -*holmr*), *Burry Holms* ac ym Môr Hafren, *Flat Holm* (Ynys Echni) a *Steep Holm*; -*wick* (bae) a -*ford* (ffiord) fel yn Milffwrd (*melr*, 'banc tywod' - *fjörðr*). Daeth Ynys Echni, a elwid gan y Sacsoniaid *Bradan Relice* ('man claddu eang') yn lloches yn 1068 i Iarlles Gytha, mam y Brenin Harold, brenin Eingl-Sacsonaidd olaf Lloegr; yn 914 dihangodd llynges Lychlynnaidd dan yr ieirll Hróald ac Óttar yn y diwedd i ynys gyfagos *Steep Holm* (*Steapan Relice*, 'man claddu serth' i'r Sacsoniaid) lle bu farw llawer

o newyn. Ystyr yr enw Sgandinafaidd *Fishguard* - *fiskigarðr* - (Abergwaun) yw 'lle amgaeedig i ddal neu gadw pysgod'. Ymhlith enwau Sgandinafaidd eraill y mae'r *Skerries* (Ynysoedd y Moelrhoniaid) (*sker*, 'craig ynysig'), *Emsger, Tusker*, y *Stacks* (*stakkr*, 'craig golofn'), *Stackpole* (*stakkr-pollr*, 'pwll'), penrhyn *Midland* (*meðal*, 'canol' -*holmr*) a Phenygogarth - *Orme's Head* (*örmr*, 'neidr'). Yr oedd ynysoedd yn dargedau (os oedd arnynt eglwysi neu fynachlogydd) neu'n llochesau, ac mae'r elfen -*ey* (ynys) yn ymddangos nifer o weithiau, fel yn *Anglesey* (*Önguls-ey*), *Bardsey* (*Bárð*, enw personol, -*ey*), *Caldy* ('Ynys Oer'), *Sgomer* (*skálm*, 'ymyl agen' -*ey*), *Ramsey* (naill ai'r enw personol *Hrafns*- neu arlleg gwyllt, *hramsa-ey*), *Lundy* - Ynys Wair - (*lundi*, Ynys y Pâl) ac o bosibl *Swansea* (naill ai *Svein's* -*ey*'ynys Svein' neu *Svein's-saer* 'môr Svein'). Yn achos Môn awgrymwyd naill ai i'r ymosodiadau cyson arwain at gyfnod o dra-arglwyddiaeth Lychlynnaidd, neu i gysylltiadau maith Gruffudd ap Cynan, tywysog Gwynedd (a fu farw ym 1137) ac eraill rywfodd ddylanwadu ar y disgrifiad o'r ynys gan bobl o'r tu allan. Cynigiodd yr Athro Henry Loyn i gymuned Sgandinafaidd gael ei sefydlu dros dro ar o leiaf ran o'r ynys, ac i siaradwyr Norwyeg sefydlu aneddiadau y bwriadwyd iddynt fod yn barhaol yn sir Benfro. Awgrymodd yr Athro Wendy Davies fod Môn ac Arfon, y naill ochr a'r llall i'r Fenai, a Thegeingl, yng ngogledd-ddwyrain Cymru, yn lleoliadau aneddiadau posibl. Mae asesiadau o'r fath wedi dibynnu i raddau helaeth ar ffynonellau dogfennol, y blwyddnodau a chroniclau Eingl-Normanaidd, lle na cheir cyfeiriad pendant at wladychiad Llychlynnaidd yng Nghymru, ynghyd ag astudiaethau o enwau lleoedd a darganfyddiadau archaeolegol prin. Er enghraifft, mae'r gladdfan yn

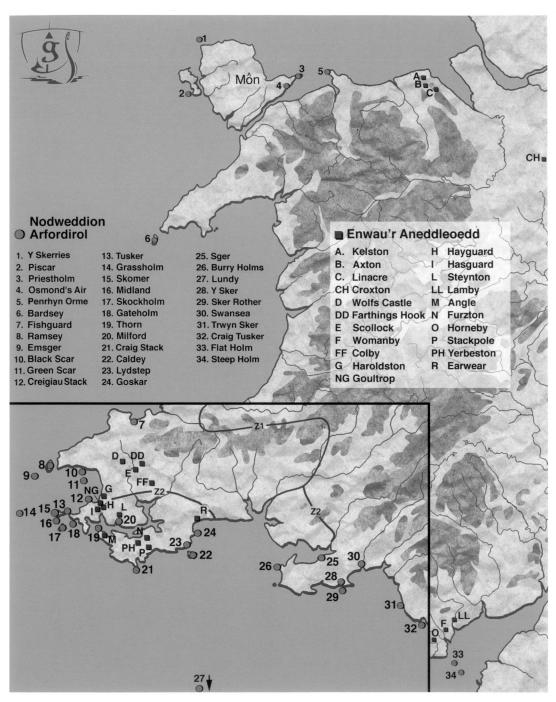

Nodweddion
Arfordirol

1. Y Skerries
2. Piscar
3. Priestholm
4. Osmond's Air
5. Penrhyn Orme
6. Bardsey
7. Fishguard
8. Ramsey
9. Emsger
10. Black Scar
11. Green Scar
12. Creigiau Stack
13. Tusker
14. Grassholm
15. Skomer
16. Midland
17. Skockholm
18. Gateholm
19. Thorn
20. Milford
21. Craig Stack
22. Caldey
23. Lydstep
24. Goskar
25. Sger
26. Burry Holms
27. Lundy
28. Y Sker
29. Sker Rother
30. Swansea
31. Trwyn Sker
32. Craig Tusker
33. Flat Holm
34. Steep Holm

Enwau'r Aneddleoedd

A. Kelston
B. Axton
C. Linacre
CH Croxton
D. Wolfs Castle
DD Farthings Hook
E. Scollock
F. Womanby
FF Colby
G. Haroldston
NG Goultrop
H. Hayguard
I. Hasguard
L. Steynton
LL Lamby
M. Angle
N. Furzton
O. Horneby
P. Stackpole
PH Yerbeston
R. Earwear

17 Enwau lleoedd Sgandinafaidd yng Nghymru.

18 Ynys Dewi - Ramsey - sir Benfro.

Llanasa ac addurnwaith Llychlynnaidd ei naws ar groesau yn yr un ardal yn awgrymu cangen o anheddiad yng Nghilgwri a gorllewin Swydd Gaer.

Mae'r ail ddosbarth o enwau lleoedd yn cynnwys enwau o natur Sgandinafaidd ar aneddiadau ynghyd ag enwau personol. Enghreifftiau nodweddiadol yn Lloegr yw *-by* fel yn *Colby* yn Norfolk *('fferm Col'),* a *Frankby* yng Nghilgwri, a *-thorpe* (fferm allanol hwn a hwn, anheddiad 'eilaidd'), y ceir y ddau fath fynychaf yn swydd Efrog, swydd Nottingham, swydd Lincoln a swydd Gaerlŷr. O'r Gymraeg 'din-bych' y daw *Tenby* fodd bynnag, nid o'r Sgandinafeg, tra bod *Womanby* *(hundamannabý,* 'anheddiad y cŵn-geidwaid' yng Nghaerdydd), *Momri (horn(e)by,* o bosibl yr enw personol *Horni)* a *Lamby (lang,* 'hir') yn sir Fynwy oll yn ffurfiau mwy diweddar, ac fel yn achos enwau o'r fath yn iseldir canolbarth yr Alban, efallai eu bod yn cynrychioli gwladychiad o'r Ddaenfro ar ôl i'r Normaniaid oresgyn Cymru. Yn sir Benfro, mae nifer fechan o enwau yn cynnwys enw personol

Sgandinafaidd, ynghyd â'r elfen Saesneg/Eingl-Sacsonaidd *-tun* fel *Furzton (Thúri), Haroldston (Háraldr), Yerbeston* (ffurf seisnigedig o *Ásbjorn),* ond credir bod y rhain hefyd yn adlewyrchiad o wladychiad ar ôl y Goresgyniad Normanaidd gan anheddwyr o ardaloedd yn Lloegr lle yr oedd enwau Danaidd yn gyffredin. Mae *Steynton* yn sir Benfro yn cynnwys yr elfen Sgandinafaidd *steinn* ('carreg'). Yn sir y Fflint ceir clwstwr bychan o enwau fel *Kelston (kelda,* 'ffynnon'), *Axton (askr,* 'onnen') ac o bosibl *Linacre (lín-akr)* a all gynrychioli mewnfudiad o ffermwyr Sgandinafaidd. Mae elfennau Sgandinafaidd yn amlwg hefyd yn yr enwau *Goultrop* (o bosibl *göltr,* 'baedd' a *hóp,* 'bae bychan'), *Hasguard (hús-skarth,* 'tŷ mewn agen'), *Wolf's Castle* (o bosibl yr enw personol Ulf) a *Scollock* (o bosibl y gair Sgandinafaidd *skáli,* 'cwt' a'r Saesneg *hoc,* 'bachyn').

Mae dehongli'r dystiolaeth hon yn dibynnu ar y cyfnod y bathwyd yr enwau. Yng Nghymru, prin yr effeithiwyd ar yr eirfa frodorol (gellid bod wedi

19 Ynys Enlli - Bardsey -
oddi ar Benrhyn Llŷn.
(Hawlfraint y Goron: Y
Comisiwn Brenhinol ar
Henebion yng Nghymru)

cyflwyno'r ychydig eiriau a oroesodd, fel *iarll* a *gardd*, trwy Eingl-Sgandinafeg neu Saesneg Canol). Dim ond mewn ardaloedd arfordirol y digwydd enwau lleoedd Sgandinafaidd. Er i'r enwau lleoedd hyn ddod yn rhan o'r iaith Saesneg, ymddengys mai ychydig o gysylltiad ieithyddol sydd rhyngddynt a'r enwau Cymraeg cyfatebol: Ynys Enlli yw 'Bardsey' o hyd, Ynys Môn yw 'Anglesey' a Phenygogarth yw 'Orme's Head' (sy'n awgrymu mai prin a fu'r cyswllt â'r boblogaeth frodorol).

20 *Ynys Midland, gyda Sgomer y tu ôl iddi a Chraig Tusker.*

21 *Ynys Gateholm.*

22 *Yr oedd Sgandinafiaid yn hoff o waith metel wedi ei addurno yn y dull Ynysaidd brodorol. Mae'r froetsh ffug-fylchgron hon o'r wythfed ganrif a gafwyd yn Llys Awel, Pen-y-corddyn-mawr, ger Abergele, yn debyg i froetshis a gafwyd yn Eidfjord yn Norwy ac mewn beddrod Llychlynnaidd yn Pierowall ar Ynysoedd Erch (gosodwyd pin yn y dull Pictaidd yn lle un blaenorol). Gallai rhai gwrthrychau fod wedi teithio i'r gogledd a'r dwyrain trwy ysbeilio, ond mae masnach, pridwerthu a rhoddion yn bosibiliadau eraill. Mae i ba raddau y cafodd arddulliau brodorol eu mabwysiadu'n rhwydd gan Sgandinafiaid yn un maes ymchwil heddiw. (NMW 81. 35H)*

Enwau personol Llychlynnaidd

Dim ond un enw oedd gan Lychlynnwr - enw cyntaf fel Svein neu Harald a roddwyd iddo gan ei rieni. Gellid gwahaniaethu rhwng pobl drwy roi iddynt ail enw, naill ai enw'r tad gydag olddodiad a olygai 'fab', megis *Eirík Hákonarson* neu 'ferch' megis *Thóra Thorsbergdottir*, neu lysenw megis Haraldr Harðráði - 'Harold Lym' ar y brenin Harald Sigurtharson o Norwy, a laddwyd ym Mrwydr Stamford Bridge ym 1066. Daw'r enw Cymraeg Rhagnell o'r enw Hen Norwyeg *Ragnhildr* (megis merch Óláf o Ddulyn a mam Gruffudd ap Cynan.)
Ar gyfer y cyhoeddiad hwn, safonwyd enwau Hen Norwyeg trwy ollwng y diweddebau enwol a symleiddio llythrennau arbennig. Cadwyd rhai ffurfiau confensiynol.

Gwaed Llychlynnaidd?

I ba raddau y cymathwyd pobl o Lychlyn a'u diwylliant yn y gymdeithas Gymraeg frodorol? Bu hwn yn destun cryn drafod. Nid label hil yw'r gair 'Viking', ond disgrifiad o'r hyn a wnaeth rhai Sgandinafiaid. Trwy gyfrwng archaeoleg, mae modd weithiau ymchwilio i ba raddau yr oedd brodorion a newydd-ddyfodiaid yn rhannu diddordebau, credoau a hoffterau. Gellir diffinio grŵp ethnig fel 'pobl' sy'n eu neilltuo eu hunain ar sail eu barn eu hunain am eu gwahaniaethau diwylliannol neu eu tras gyffredin. Mae'n anodd iawn adnabod olion pobl a oedd ag ymwybyddiaeth o'r fath o hunaniaeth 'Lychlynnaidd' yn y cofnod archaeolegol, ond mae asesu'r berthynas rhwng grwpiau poblogaeth brodorol a rhai cymysg Gwyddelig/Sgandinafaidd yn hanfodol i'n dealltwriaeth o'r cyfnod.

Bu ymdrechion hefyd i ddefnyddio'r dystiolaeth o amleddau grwpiau gwaed poblogaeth frodorol Cymru i adnabod poblogaethau cynnar o fewnfudwyr, ar sail data a gasglwyd gan y Gwasanaeth Trallwyso Gwaed Cenedlaethol ers y 1940au. At ei gilydd, lle ceir cofnod hanesyddol o boblogaethau o'r un dras, mae ganddynt amleddau grwpiau gwaed tebyg, er mai cyfartaleddau yw'r canlyniadau yn hytrach na ffigurau penodol. Canfu astudiaethau yn y gorffennol amledd uchel o'r

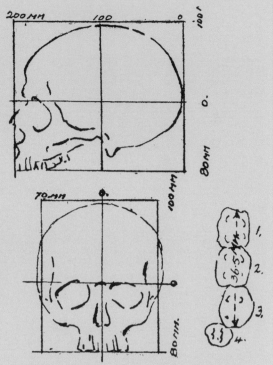

23 *Darlun o benglog rhyfelwr Llychlynnaidd o feddrod yn Nhalacre, sir y Fflint. (Atgynhyrchwyd o* Proceedings of the Llandudno, Colwyn Bay and District Field Club *17, 1931-32).*

gennyn A ym mhoblogaeth frodorol sir Benfro, a lefelau diddorol yn y gogledd-orllewin. Dangosodd dadansoddiad wahaniaeth mawr rhwng sir Benfro a gweddill Cymru nad oes mo'i debyg ond yn rhannau o Sgandinafia, a'r ardal annodweddiadol oedd gogledd sir Benfro (gweler ffigwr 17, Z1) ac nid y de (Z2). Bu rhai o'r farn bod hyn yn adlewyrchiad o wladychiad Llychlynnaidd a rhyngbriodi, a adawodd olion prin dros ddeg cenhedlaeth ar hugain neu ragor. Er hynny, mewn termau archaeolegol pur nid yw'n bosibl hyd yma ddangos i'r Sgandinafiaid fod yn elfen arwyddocaol yn y boblogaeth barhaol. Mae ystadegau sir Benfro yn gwrthgyferbynnu â rhai Môn, yr ardal arall lle y mae peth gwladychu yn debygol. Yn Normandi ni chofnodwyd unrhyw amledd cyfatebol o'r gennyn A, er bod rhai o'r dosbarth rheoli o dras Lychlynnaidd. Rhaid bod yn ofalus wrth ddehongli'r data, ac mae angen ystyried effeithiau detholiad naturiol, hap-effeithiau fel symudiad genetig a dylanwadau eraill. Bellach datblygwyd dulliau mwy soffistigedig o ddadansoddi ond mae iddynt eu cyfyngiadau (dim ond yn y llinach fenywaidd y trosglwyddir DNA mitocondriaidd). Rhaid i unrhyw ymdrechion i adnabod elfen Lychlynnaidd neu Sgandinafaidd yng nghyfansoddiad y boblogaeth aros nes cwblhau rhaglenni mapio genetig manwl ar wyrywod a benywod ym Mhrydain.

Y Teyrnasoedd Brodorol

Yn y nawfed ganrif, yr oedd Cymru yn gasgliad o nifer o deyrnasoedd annibynnol, dan reolaeth brenhinoedd fel Cyngen, brenin olaf Powys. Pan fu ef farw yn 856, aeth ei deyrnas yn rhan o Wynedd. Tanseiliwyd yr ymhelaethu ar Wynedd o dan Rhodri ap Merfyn – sy'n fwy adnabyddus fel Rhodri Mawr (844-78) – a'i feibion o dywysogion, gan ymosodiadau gan y Llychlynwyr a rhaniadau mewnol. Yn y ddegfed ganrif unodd ŵyr i Rhodri, sef Hywel ap Cadell, Seisyllwg yn y Deheubarth â Gwynedd. Yr Hywel hwn oedd Hywel Dda (c. 920-50), gŵr pwysig iawn yn natblygiad gwleidyddol Cymru.

Er bod llysoedd a chanolfannau mynachaidd Cymru'r wythfed hyd y ddegfed ganrif yn amlwg ac er y ceir cofnodion hanesyddol ar eu cyfer weithiau, prin iawn yw'r dystiolaeth archaeolegol amdanynt. Yn nheyrnas Gwynedd, Aberffraw ar Ynys Môn oedd y prif lys. Gwyddom am lysoedd eraill uchel eu bri yn Negannwy a Dinas Emrys, ond ar hap y deuir o hyd i ffermydd diamddiffyn a chartrefi'r werin bobl.

24 *Y groes a godwyd mae'n debyg gan Hywel ap Rhys, arglwydd Glywysing, 'er enaid ei dad', o Lanilltud Fawr, Bro Morgannwg (ECMW 220). Bu farw Hywel, a oedd yn ddeiliad i Alfred Fawr yn yr 870au, yn 886. (Cast; NMW 99.64)*

25 *Credir mai'r bryn gorllewinol caerog yn Negannwy oedd safle arx Decantorum (dinasgaer y Decanti). Yn ôl y blwyddnodau, fe'i trawyd gan fellten a'i llosgi i'r llawr yn 812. Yn 823 fe'i dinistriwyd gan Sacsoniaid a oresgynnodd deyrnas Powys. Yn ddiweddarach, yn niwedd yr unfed ganrif ar ddeg, cododd y Normaniad, Robert o Ruddlan gastell ar y safle. Ailgodwyd hwnnw yn ddiweddarach o garreg (bellach dim ond cerrig gwasgaredig ar y ddau fryncyn sydd ar ôl). Bryn Maelgwyn yw'r bryn coediog (chwith uchaf); gadawyd casgliad o ddarnau arian ar ei lethrau c. 1024.*

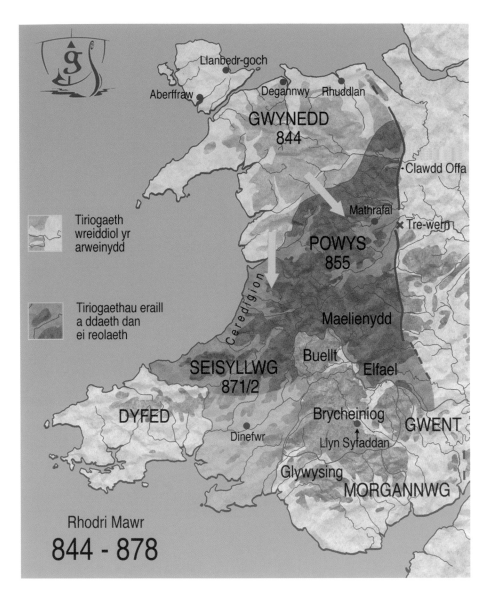

26 *Trefn wleidyddol newydd Cymru o dan Rhodri Mawr. Anaml y byddai teyrnas yn tra-arglwyddiaethu am gyfnod maith (yn seiliedig ar William Rees 1951).*

Yr oedd Cristnogaeth yn uno'r teyrnasoedd annibynnol i raddau. Yr oedd y dosbarth a lywodraethai yn cefnogi'r eglwys, a daeth rhai mynachdai yn fannau claddu ar gyfer y teuluoedd brenhinol. Yr oedd y mynachlogydd mwyaf yn ganolfannau dysg a chrefftwaith, ac adlewyrchid hyn o'r nawfed ganrif ymlaen yn y traddodiad o godi croesau uchel addurnedig, ar ffurf maen uchel neu groes wedi'i cherflunio'n grwn. Mae dosbarthiad lleol y mathau hyn o groesau, yn aml o

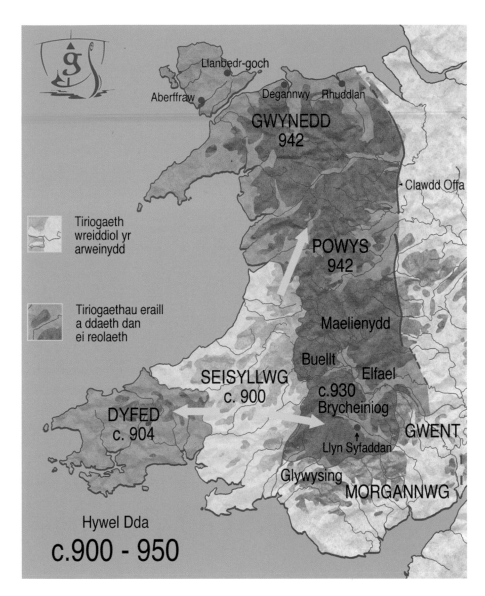

27 Cymru o dan Hywel Dda (yn seiliedig ar William Rees 1951).

gwmpas safleoedd eglwysig cynnar fel Tyddewi yn sir Benfro, a Llanilltud Fawr ym Mro Morgannwg, yn awgrymu bodolaeth gweithdai neu grwpiau o grefftwyr o dan nawdd mynachlogydd cyfoethog neu arweinwyr brenhinol. Erbyn y nawfed ganrif, yr oedd nifer o fynachlogydd yn gyfoethog, ac yn dargedau amlwg i ymosodiadau gan y Llychlynwyr.

Y Dyfod Cyntaf

'... Ni welwyd erioed y fath arswyd ym Mhrydain ag a ddioddefwyd gennym yn awr oherwydd hil baganaidd, ac ni chredwyd y gellid fyth lanio o'r môr yn y fath fodd.'

(llythyr gan yr ysgolhaig Alcuin at frenin Northumbria ynglŷn â'r ymosodiad ar Ynys Metgawdd (Lindisfarne), OC 793. Ar sail cyfieithiad gan D. Whitelock)

Yr oedd effaith yr ymosodiadau cyntaf gan Lychlynwyr yn niwedd yr wythfed ganrif ac yn y nawfed ganrif yn ddirfawr. Minteioedd rhyfel tra symudol dan arweiniad rhyfelwyr o'r radd ganol (tirfeddianwyr neu benaethiaid lleol yn aml), yn hytrach na brenhinoedd, tywysogion neu ieirll, oedd y rhain.

Ymddengys i'r ymosodiadau cyntaf a gofnodwyd ar Brydain ac Iwerddon ddigwydd ddiwedd yr wythfed ganrif. Glaniodd tair llong o *Hörthaland* (Hordaland, Norwy) yn Portland, Dorset, yn ystod teyrnasiad y brenin Beorhtric *c.* 789 a lladd maer y brenin (menter fasnachu a fethodd oedd hon o bosib). Ymosodwyd ar fynachlogydd ar Ynys Metgawdd (Lindisfarne) yn 793; *Rechru*, Ynys Rathlin yn swydd Antrim mae'n debyg, yn 795, ac Iona yn yr un flwyddyn. Mae'r cofnodion cyfoes yn amherffaith oherwydd mai rhai eglwysig ydynt yn bennaf, ac mae'r blwyddnodau cryno yn llurgunio'r gorffennol drwy hepgor llawer iawn. Gellir tybio felly bod rhagor o ymosodiadau nas cofnodwyd. Fodd bynnag, yn dilyn y newid ar ddiwedd yr wythfed ganrif o fasnach Sgandinafaidd i ymosod, daw patrwm cyffredinol o ymosodiadau cynyddol yn dilyn cyfnodau o ddiogelwch cymharol i'r amlwg. Yn Iwerddon, yng nghanol y nawfed ganrif gwelwyd gaeafu gan ymosodwyr Llychlynnaidd, sefydlu gwersyll morol neu *longphor*t yn Nulyn yn

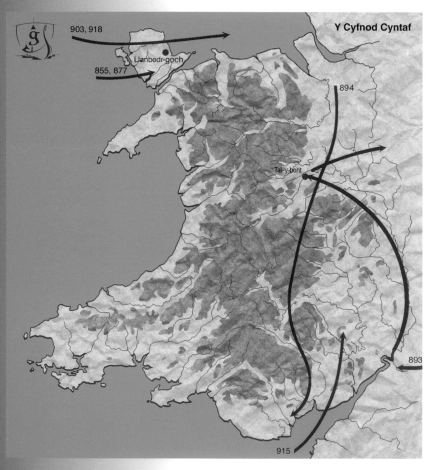

28 *Ymosodiadau cynnar gan y Llychlynwyr ar Gymru.*

841, datblygu presenoldeb Llychlynnaidd ar ddwy ochr Môr Iwerddon, ac ymbriodi a chynghreiriau rhwng y Gwyddelod a'r Llychlynwyr. Yr oedd y deyrnas Sgandinafaidd y byddai Caerefrog yn ganolbwynt iddi (cipiwyd y ddinas ganddynt yn 867) wedi ei sefydlu erbyn 876.

Yn 852 y ceir y cofnod pendant cyntaf o ymosodiad ar Gymru, pan laddwyd Cyngen o Bowys gan Lychlynwyr (*Y Cenhedloedd*), ac yr oedd Ynys Môn yn darged arbennig o 855 ymlaen. Disgrifiwyd ymosodiadau fforio achlysurol yn y gogledd a'r de, a ddigwyddai hyd tua 919, fel 'ôl-effaith' gweithgaredd Llychlynnaidd, oherwydd mewn

29 *Ar y mownt croesffurf efydd-eurliw hwn o'r wythfed ganrif o Ddyffryn Gwy, sir Fynwy mae addurniad Eingl-Seisnig wedi'i naddu ar ffurf rhyngles tendril gwinwydd. Arferai dau rybed ei glymu wrth glawr llyfr. Canfuwyd addurn tebyg, wedi ei addasu i wneud crogdlws, ym medd gwraig yn Björke, Norwy. Efallai i beth o'r gwaith metel 'Ynysaidd' (Prydeinig) a gafwyd yn Norwy gael ei ysbeilio wrth ymosod (yn arbennig yr eitemau hynny a adawyd mewn beddau sy'n dyddio o'r wythfed ganrif), ond gall mai masnach a oedd yn gyfrifol am eraill. Lled braich 65.6mm fan bellaf.*

gwirionedd yr oeddent yn canolbwyntio ar fannau eraill. Diau i ddaearyddiaeth, arfordir peryglus ac amgylchiadau gwleidyddol fod o gymorth i'w gwrthsefyll. Rhodri Mawr, arweinydd Gwynedd o 844-78, a arweiniodd y gwrthsafiad cyntaf, a nodwyd ei lwyddiannau yn Iwerddon (ym Mlwyddnodau Wlster) ac yn llys Siarl Foel yn Liège. Llwyddodd ei olynwyr hefyd i wrthsefyll ymosodiadau gan y Llychlynwyr yn effeithiol. Yn 903 daeth Llychlynwyr o dan arweiniad Ingimund i Ynys Môn wedi iddynt gael eu hymlid o Ddulyn. Fe'u gyrrwyd allan o Fôn hithau gan y brenin Clydog ap Cadell, a hwyliasant i'r dwyrain a chael caniatâd i lanio ger Caer, cam pwysig yng ngwladychiad gogledd-orllewin Lloegr.

Yn yr haf yn unig y digwyddai'r ymosodiadau cyntaf, ond erbyn canol y nawfed ganrif yr oedd Llychlynwyr wedi ymsefydlu yng ngogledd yr Alban ac yr oeddent yn gwersyllu yn rheolaidd yn ystod y gaeaf yn Iwerddon a Lloegr. Yn ôl Asser, yr

30 *Nodir cyfnod cyntaf presenoldeb Llychlynwyr o amgylch Cymru gan gladdu trysorau. Daw'r darnau arian hyn, a ddangosir yma heb eu glanhau, o gasgliad bychan a adawyd tua 850 yn Llanbedr-goch, Ynys Môn. Darnau Carolingaidd sydd ynddo ar y cyfan - denierau Siarl Foel (bathwyd c. 848-77), Pepin II o Aquitaine (839-52) a Louis Dduwiol (bathwyd c. 822-40) - ac mae'n debyg o ran cyfansoddiad i drysor bychan arall o Minchin Hole ar Benrhyn Gŵyr.*

ysgolhaig o Gymro a ysgrifennodd fuchedd Alfred Fawr yn 893 yn fuan wedi'r digwyddiadau hyn, arhosodd llu Llychlynnaidd (yn ôl traddodiad diweddarach dan arweiniad Hubba, brawd Ívar Ddiasgwrn ('*Hinn Beinlausi*') a Hálfdan Lydan ei Goflaid) yn 878 yn Nyfed (am y tro cyntaf mae'n debyg) lle y lladdwyd nifer fawr o Gristnogion ganddynt. Adroddodd Asser ac Æthelweard i'r fflyd Lychlynnaidd o dair llong ar hugain hwylio wedyn i Ddyfnaint, o bosibl fel rhan o symudiad gefail i ddal Alfred a oedd yn cuddio gyda'i gefnogwyr yng nghorstiroedd Gwlad yr Haf. Trechwyd y Llychlynwyr o'r diwedd gan filwyr lleol o dan arweiniad yr Ealdorman Odda o flaen y fryngaer yn Countisbury Hill ger Minehead. Yn ôl Asser, ar wahân i'w wrthgloddiau 'a adeiladwyd yn y dull Cymreig', yr oedd y safle yn anghaerog.

Ar ôl marwolaeth Alfred garismataidd yn 899, parhaodd ei fab Edward yr Hynaf (899-924), ei fab-yng nghyfraith Æthelræd o Fersia a'i ferch Æthelflæd (gwraig Æthelræd) â'r ymgyrch i oresgyn tiriogaethau'r Ddaenfro hyd 918, ac erbyn hynny yr oedd cenhedlaeth o ffermwyr a theuluoedd Danaidd wedi tyfu a gweithio ar y tir yng ngogledd a dwyrain Lloegr. Cafwyd achosion o gydweithredu milwrol rhwng y Cymry a Sacsoniaid y Gorllewin yn erbyn y Llychlynwyr, er enghraifft yn 914. Anrheithiodd fflyd Lychlynnaidd o Lydaw, dan arweiniad yr Ieirll Hróald (Harold) ac Óttar, arfordir de Cymru a threiddio i Ddyffryn Gwy. Cipiasant Gyfeiliog hyd yn oed, Archesgob Ergyng (Archenfield) a mynd ag ef i'w cychod. Yn ôl y Cronicl Eingl-Seisnig, Edward yr Hynaf a dalodd *xl pundum*, 'deugain pwys' (o arian) yn bridwerth amdano. Wedi eu gyrru yn ôl gan warchodluoedd cyfun Henfford a Chaerloyw, dihangodd y Llychlynwyr i Steep Holm ym Môr Hafren, lle bu farw llawer ohonynt o newyn: *hie wurdon swiþe metelease* ('hyd nad oedd ganddynt gig'; y Cronicl Eingl-Seisnig). Gallai'r arfer Llychlynnaidd o gario hyn a hyn o fwyd a diod a byw oddi ar y tir fod yn drychinebus. O Steep Holm hwyliasant maes o law i Ddyfed (ardal Aberdaugleddau mae'n debyg) ac Iwerddon.

31 *Nid Llychlynwyr yn unig a ymosodai ar Gymru. Dengys y graff hwn amlder y rhyfela a gofnodwyd yn y blwyddnodau. Er mai cofnod rhannol o'r hyn a ddigwyddodd a geir yn y blwyddnodau, mae'n eglur mai un elfen yn unig yw'r ymosodiadau gan ysbeilwyr Llychlynnaidd mewn patrwm cymhleth o ymgyrchoedd milwrol a minteioedd rhyfelgar. Efallai i drais endemig gyfrannu at ddiddordeb y Llychlynwyr yng Nghymru. Mae cyfnod cyntaf eu hymosodiadau yn cyd-daro ag Oes gyntaf y Llychlynwyr yng Ngogledd Prydain c. 795-920.*

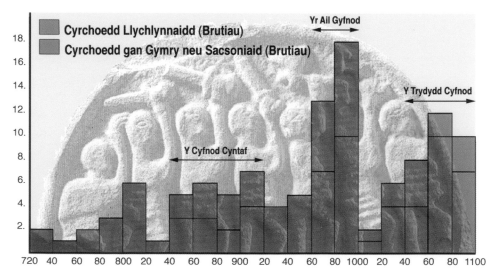

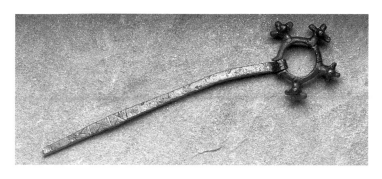

32 *Pin cylchog cnapiog aloi-copr o Gaer-went,
sir Fynwy. Dyma'r unig enghraifft hysbys
yng Nghymru, ac o'r nawfed ganrif y daw
yn fwy na thebyg. Mae paladr y pin, sydd
o groes-doriad hirsgwar, wedi'i addurno â
thair croes endoredig. Hyd a oroesodd
126mm. (Amgueddfa ac Oriel Gelf
Casnewydd; NPTMG: D2.250)*

33 *Rhodri Mawr yn arddull
glasurol y Dadeni, yn* The
Historie of Cambria, *David
Powel (1584). Benthycwyd y
ddelwedd o* Chronicles of
England, *Holinshed (1577).*

Brwydr Tal-y-bont

'Datgenir hyd heddiw gan henwyr y pethau hyn a wnaed yn Nhal-y-bont.'
(*O Gronicl Æthelweard, a ysgrifennwyd yn y 980au*)

Canlyniad i fyddin fawr o Lychlynwyr yn glanio yn Lloegr (ar ôl profi gwrthwynebiad cynyddol ar y Cyfandir) oedd ymgyrchoedd y Llychlynwyr yn yr 890au ac yr oeddent yn gysylltiedig ag ymdrechion i oresgyn teyrnas Alfred. Yn 893, torrodd yr arweinydd Llychlynnaidd Hástein amodau cytundeb. Anrheithiodd ei lu mawr, â chymorth byddinoedd Danaidd o East Anglia a Northumbria, deyrnas Mersia ar draws dyffryn Tafwys, nes dod at ororau'r Cymry (*Britannorum*). Gorymdeithiodd wedyn i fyny dyffryn Hafren, ond yr haf hwnnw ymunodd llu Seisnig o *burhs* (amddiffynfeydd, llawer ohonynt yn drefgorddau) yng ngorllewin Lloegr â'r Cymry a'i oddiweddyd o'r cefn yn 'Buttington'. Y gred gyffredinol, ers o leiaf 1833, yw mai Tal-y-bont ar lannau Hafren ger y Trallwng (sir Drefaldwyn) oedd y Buttington hwn. Awgrymwyd safleoedd eraill hefyd yn Boddington, ger Cheltenham, a Buttington-hill, gyferbyn â Chas-gwent, yn swydd Gaerloyw ar gyfer y cyfarfod, ond mae datganiad y Cronicl i'r Daniaid gyrraedd 'Buttington' ar ôl symud *up be Sæferne* ('i fyny Afon Hafren') a milwyr ar feirch yn eu hymlid yn ffafrio safle sir Drefaldwyn. Noda Llawysgrif A y Cronicl Eingl-Seisnig - *þā offōron hīe þone here hindan æt Buttingtūne on Sæferne staþe*, 'yna goddiweddyd a wnaethant fyddin y Daniaid yn Nhal-y-bont, ar lan Hafren'.

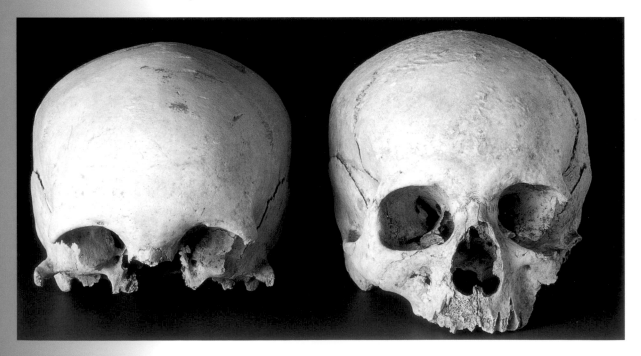

34 *Ai penglogau Daniaid yw'r rhain? Honnir iddynt ddod o'r pydewau angladdol ym mynwent Tal-y-bont. Mae'r penglogau yn awr yn y Powysland Museum and Montgomeryshire Canal Centre.*

35 Mynwent Tal-y-bont, yn dangos y codiad bychan uwch y gorlifdir a'r Mynydd Hir yn codi yn y cefndir.

36 Mynwent Tal-y-bont. Darganfuwyd y pydewau angladdol wrth gloddio'r sylfeini ar gyfer tŷ'r ysgol ym 1838 (o dan gornel chwith yr adeilad o friciau yn y llun).

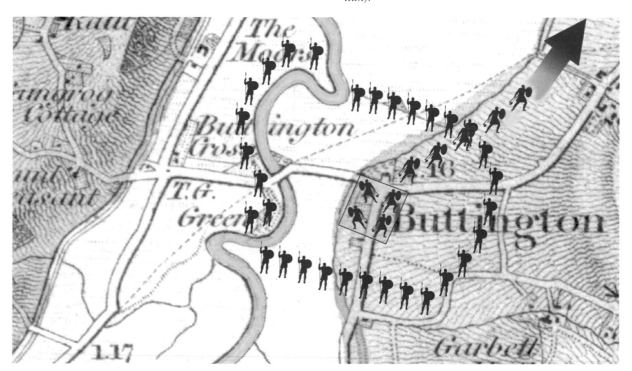

37 Dehongliad posibl o Frwydr Tal-y-bont. Yr oedd y rhyd yn rhoi mynediad drwy Glawdd Offa o diriogaeth Mersia ar draws afon Hafren, ac mae hen lonydd a thraciau yn arwain ati o'r ddwy ochr i'r afon. Newidiodd adeiladu'r rheilffordd yn y bedwaredd ganrif ar bymtheg gymeriad y safle, ac nid oes yn awr unrhyw arwyddion o amddiffynfeydd neu geyrydd o amgylch y rhan o'r eglwys sydd ar godiad, fel y 'rhagfur' a nodwyd yn y 1870au ar ochr ddwyreiniol yr eglwys, a oedd yn rhedeg bron iawn gyfochr â'r ffordd i Ffordun. Er i safle caerwaith hirsgwar oddeutu 120m x 170m gael ei awgrymu, nid yw wedi'i brofi eto.

Mae'r digwyddiad yn nodedig oherwydd y cydweithredu rhwng y Sacsoniaid a'r Cymry. Am nifer o wythnosau, bu gwarchae ar wersyll Danaidd Hástein a sefydlwyd yn Nhal-y-bont gan y llu cyfun hwn o Saeson a Chymry, dan arweiniad tri o lywodraethwyr taleithiol Alfred, *[ond] þǣr ūtan besǣton on ǣlce healfe on ānum fǣstenne*, a'u gwarchae ar ddwy ochr yr afon mewn caer' (o Lawysgrif A y Cronicl Eingl-Seisnig). Nid yw'r disgrifiad hwn yn gwrthdaro â thopograffeg y safle a awgrymir, ym mynwent eglwys Tal-y-bont, er na chafwyd eto unrhyw dystiolaeth archaeolegol o system amddiffynnol. Mae'n bur debyg y gallai caerwaith o bridd a choed a godwyd yn gyflym fod wedi defnyddio nodweddion a fodolai eisoes, hyd yn oed. Amgylchynodd y llu gwarchae y Daniaid a meddiannu'r ddau lethr; mae'n debyg mai llu o Gymry o dan Merfyn o Bowys a feddiannai'r llethr gorllewinol, gan osgoi unrhyw berygl o gael eu dal mewn gwrthymosodiad yn erbyn Hafren ar orlifdir y dwyrain. Rhwystrwyd y Daniaid rhag byw oddi ar y tir yn ôl eu harfer, ac wrth i gyflenwadau leihau, bu'n rhaid iddynt fwyta eu ceffylau, a bu farw rhai o newyn. Torrodd rhai allan yn erbyn y llu ar ochr ddwyreiniol yr afon, mur gwarcheidiol o Sacsoniaid yn ôl pob tebyg. Yn ôl Æthelweard, 'Enillodd llanciau'r Saeson wedi hynny faes y fuddugoliaeth', ac fe'u trechwyd â cholledion mawr ar y ddwy ochr, a dihangodd y Daniaid a groesodd i East Anglia. Er bod hwn yn llwyddiant nodedig, nid oedd y goresgynwyr wedi'u trechu'n llwyr, oherwydd diogelodd y Fyddin Fawr ei heiddo yn East Anglia, ailymgynnull, a gorymdeithio i

38 *Adwaith i amseroedd terfysglyd? Ynys artiffisial oedd crannog Llyn Syfaddan a adeiladwyd fel llys brenhinol ar gyfer brenin Brycheiniog, Elisedd ap Tewdwr. Arferai'r estyll derw du a welir yma yn cael eu cloddio ym 1990 (yn y blaen) ffurfio palis uchel o amgylch y crannog. Gwnaed rhai ohonynt o goed derw a dorrwyd yn haf 893, yr un flwyddyn â brwydr Tal-y-bont.*

Gaer. Dinistriodd y lluoedd Seisnig gyflenwadau bwyd, gan eu gorfodi i mewn i Gymru i gael cyflenwadau yn 894, ac efallai ddinistrio teyrnasoedd Brycheiniog, Gwent a Gwynllwg yn ystod yr ymgyrch hwn. Yna troesant yn ôl o Gymru 'gyda'r ysbail a gipiwyd ganddynt yno' (y Cronicl Eingl-Seisnig) a dychwelyd i East Anglia trwy Northumbria.

Ym 1838, darganfuwyd 400 penglog ac amryw esgyrn eraill mewn tri phydew wedi eu claddu yn y fynwent yn Nhal-y-bont. Credid ar y pryd mai gweddillion Daniaid a ailgladdwyd yn ddiweddarach mewn pydewau angladdol gan fynaich Abaty Ystrad Marchell oeddent. Cafwyd nifer debyg o esgyrn dynol wedi eu cadw mewn dull tebyg mewn bedd enfawr a gloddiwyd o dan dwmpath yn Repton, swydd Derby, safle gwersyll gaeaf y Fyddin Fawr yn 873-74. Gwerthwyd rhai o ddannedd Tal-y-bont am chwe cheiniog a swllt yr

un gan y gweithwyr – meddyginiaeth leol yn erbyn y ddannoedd - ond ailgladdwyd y mwyafrif o'r esgyrn ar ochr ogleddol y fynwent. Yn ôl yr hynafiaethydd W. Boyd Dawkins (1873), yr oedd rhai penglogau wedi'u torri, ond nid yw'n sôn am doriadau llafn, ac mae difrod post-mortem yn bosibl. Fodd bynnag, ni wyddys ai gweddillion Daniaid Hástein (neu eraill) ydynt. Credir bod y rhyd dros afon Hafren a elwir yn Rhyd-y-groes, safle buddugoliaeth Gruffudd ap Cynan dros y 'Sacsoniaid a Chenhedloedd eraill' ym 1039, hefyd yng nghyffiniau Tal-y-bont.

39 Darn rhannol-suddedig o balis ar ochr ddeheuol crannog Llyn Syfaddan.

Gwarchae yng Nghaer

A r ôl i Ingimund gael ei droi o Ddulyn ac yna o Fôn (902-3) teithiodd tua'r dwyrain, a chafodd dir ger Caer gan Æthelflæd, merch Alfred, 'Arglwyddes pobl Mersia' a gwraig Ealdorman Æthelræd o Fersia. Mae hanes a gofnodwyd ym Mlwyddnodau Iwerddon yn creu delwedd fyw o'r Llychlynnwr paganaidd hwn. O weld cyfoeth y ddinas, cynllwyniodd Ingimund â phenaethiaid y Northmyn a'r Daniaid i feddiannu Caer oni châi ragor o dir a chyfoeth. Pan ymosodasant ar y dref rywbryd rhwng 903 a 911, yr oedd y trigolion yn barod amdanynt. Ffugiodd y sawl a oedd y tu allan i'r muriau eu bod yn cilio i'r dref, ac ni chaewyd y pyrth nes yr oedd llu mawr o Lychlynwyr wedi mynd i mewn. Wedi eu caethiwo yno fe'u lladdwyd. Anogwyd y Gwyddelod ymhlith y 'paganiaid' i newid ochr a bradychu'r Daniaid. Mae ffynhonnell lawysgrif, *The Three Fragments*, yn rhoi adroddiad manwl o'r hyn a ddigwyddodd:

'Ond yr oedd y lluoedd eraill, y Northmyn, dan y clwydi yn gwanu'r muriau. Yr hyn a wnaeth y Saeson a'r Gwyddyl yn eu plith oedd taflu creigiau mawrion fel eu bod yn dinistrio'r clwydi drostynt. Yr hyn a wnaethant yn wyneb hyn oedd gosod pyst mawr o dan y clwydi. Yr hyn a wnaeth y Saeson oedd rhoi holl gwrw a dŵr y dref ym mheiriau'r dref, eu berwi a'u harllwys dros y rhai hynny a oedd dan y clwydi fel bod eu crwyn yn cael eu blingo oddi arnynt. Ateb y Northmyn i hyn oedd taenu crwyn anifeiliaid ar y clwydi. Yr hyn a wnaeth y Saeson oedd gollwng yn rhydd ar y llu ymosodol holl gychod gwenyn y dref, fel na allent symud na choes na braich gan nifer y gwenyn a'u pigai. Wedi hynny gadawsant y ddinas. Ni fu'n hir wedi hynny [cyn iddynt ddod] eto i ryfela.'

(Blwyddnodau Iwerddon; ar sail cyfieithiad I. Ll. Foster)

Mae naws chwedlonol i'r hanes hwn, ac ni ellir llwyr gredu'r manylion: disgrifiwyd y ffynhonnell fel 'casgliad wedi'i foderneiddio o ddeunydd chwedlonol i raddau helaeth yn seiliedig ar gopi John O'Donovan o'r bedwaredd ganrif ar bymtheg o drawsgrifiad a wnaed ym 1643... o lawysgrif anghyflawn sydd ar goll yn awr, na wyddys ei dyddiad na'i tharddiad.' Er hynny, gall peth o'r stori fod yn seiliedig ar ffeithiau hanesyddol. Yr

40 *Atgynhyrchiad o Gaer yn y ddegfed ganrif, gan edrych o'r de-orllewin. Gallai'r amddiffynfeydd Rhufeinig, a gadwyd yn bur gyflawn, fod wedi cyrraedd hyd at yr afon, a dangosir anheddiad yn ardal Lower Bridge Street. (Llun gan D.P. Astley ac A.M. Beckett; hawlfraint Cyngor Dinas Caer. Atgynhyrchwyd â chaniatâd)*

oedd amddiffynwyr Mersia wedi gwrthsefyll yr ymosodiad yn llwyddiannus. Fel arwydd o heddwch, rhoddodd Æthelflæd dir i Ingimund, y credir ei fod yn hanner gogleddol penrhyn Cilgwri, ardal lle ceir crynhoad dwys o enwau llefydd Llychlynnaidd. Credir bod Northmyn wedi ymsefydlu ar hyd ochr ogleddol afon Mersi yn ogystal, a cheir rhai enwau lleoedd Llychlynnaidd o amgylch Caer ac ar hyd arfordir sir y Fflint.

Ail-ddarganfod Caer

Sefydlodd Alfred Fawr a'i olynwyr rwydwaith o amddiffynfeydd o'r enw *burhs*, a oedd yn ganolog i'r amddiffyniad yn erbyn y Daniaid. Yr oedd y rhain yn amrywio o fryn-geyrydd i drefi caerog. Yr oedd Caer wedi'i meddiannu a'i defnyddio gan ymosodwyr Danaidd o East Anglia yn 893 ar ôl brwydr Tal-y-bont. Sefydlwyd *burh* neu gilfach wedi'i hamddiffyn gan Æthelflæd yn y lleoliad strategol hwn yn 907, o bosibl mewn ymateb i warchae'r Northmyn ar Gaer. Crëwyd nifer o *burhs* ar hyd y ffin â Chymru yn Tamworth (913), Stafford (913), Chirbury ger Tal-y-bont (915), Henffordd a Chaerloyw tua'r un adeg, a *Cledemutha* yn 921, y credir fel arfer mai Rhuddlan ger y Rhyl ydoedd. Yr oedd Caer yn amddiffyn gogledd-orllewin Mersia.

Yn ddiamau ailddefnyddiodd amddiffynfeydd y *burh* ochrau gogleddol a dwyreiniol y gaer Rufeinig ac efallai iddynt gael eu hymestyn hyd yr afon. Datgloddiwyd llawer o adeileddau Sacsonaidd domestig diweddar, sy'n cynnwys adeiladau â lloriau suddedig ac adeileddau hirsgwar o sawl math: adeiladau tebyg i neuaddau, adeiladau â ffrâm goed ac ochrau agored a rhai â chynllun islawr. Dehonglodd y cloddwyr adeiladau hirsgwar o'r math Sgandinafaidd ac iddynt isloriau neu isloriau rhannol, y tu allan i hen furiau'r gaer yn y man a elwir yn awr yn Lower Bridge Street, yn dystiolaeth o gymuned Sgandinafaidd. Os yw hyn yn wir, prin yw'r dystiolaeth o wahanu cymunedau Sgandinafaidd a Sacsonaidd, oherwydd mae arteffactau Llychlynnaidd wedi'u canfod yn y rhan o'r anheddiad y credwyd ei bod yn Sacsonaidd. Mae casgliad mawr o arian Llychlynnaidd, a gladdwyd oddeutu 965, wedi'i ganfod yn y ddinas (Castle Esplanade), ac mae eglwys a gysegrwyd i Sant Olave

41 *Naw darn o drysor Caer, a ddarganfuwyd yn Eglwys Sant Ioan ym 1862, ac a gladdwyd c. 917. Rhoddwyd yr enw Irfara neu 'deithiwr Iwerddon' i un bathwr arian Llychlynnaidd a oedd yn gweithredu o dan Edward yr Hynaf. (NMW 85.72H)*

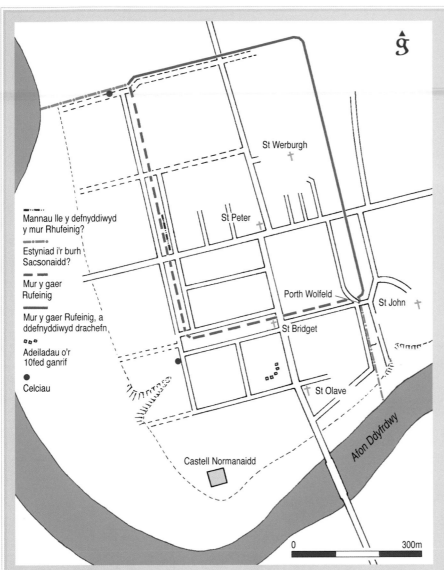

St Werburgh

St Peter

Porth Wolfeld

St John

St Bridget

St Olave

Afon Dyfrdwy

Castell Normanaidd

Mannau lle y defnyddiwyd
y mur Rhufeinig?

Estyniad i'r burh
Sacsonaidd?

Mur y gaer
Rufeinig

Mur y gaer Rufeinig, a
ddefnyddiwyd drachefn

Adeiladau o'r
10fed ganrif

Celciau

0   300m

42 Caer yn ystod y ddegfed ganrif. Meddiannwyd y dref gan Sgandinafiaid Danaidd o Loegr yn 893, ond fe'u trowyd allan yn fuan. Ni sefydlwyd unrhyw anheddiad parhaol hyd y ddegfed ganrif; wedyn y daeth Caer yn bartner economaidd i Ddulyn.

(Olaf, y Brenin Norwyaidd a ferthyrwyd ym 1030) yn dal i sefyll yn Lower Bridge Street. Gerllaw hefyd arferai'r 'Wolfeld Gate' sefyll; seisnigiad yw hwn o'r enw Hen Norwyeg ar borth *Ulfaldi*, a enwyd ar ôl gŵr â llysenw o'r fath a oedd yn flaenllaw ym materion Caer, efallai yn y ddegfed ganrif neu'r unfed ganrif ar ddeg. Mae gan Eglwys Sant Ioan, i'r dwyrain o furiau'r ddinas y tu allan i Wolfeld Gate ger Lower Bridge Street, gasgliad pwysig o gerfluniau carreg (nodwyr beddau) yn y dull Eingl-Sgandinafaidd.

Yr Ail Gyfnod

'Â'u llafnau morthwylog, torrodd meibion Edward
y mur tariannau a thrychu'r estylch o bisgwydd.
Yn ôl eu hanian a'u llinach, i amddiffyn eu tir, eu trysor a'u cartrefi ...'
(Y Cronicl Eingl-Seisnig ar Frwydr Brunanburh, 937)

Lleihaodd yr ymosodiadau gan Lychlynwyr yn ystod hanner cyntaf y ddegfed ganrif, wrth i grwpiau ddechrau gwladychu gogledd a dwyrain Lloegr. Bellach câi rhyfelwyr eu trefnu'n fyddinoedd o ymgyrchwyr profiadol a milwyr cyflog.

Rhwng 919 a 950, tra oedd y Llychlynwyr yn brysur yn Normandi a'r Ddaenfro, cyfrannodd cysylltiadau da a chydweithrediad rhwng Hywel Dda o'r Deheubarth a llinach Wessex at gyfnod o sicrwydd ac undod yn erbyn bygythiad cyffredin y Llychlynwyr. Yn ystod y cyfnod hwn y cyfnerthwyd y cysylltiadau Llychlynnaidd rhwng Dulyn, Efrog ac Ynys Manaw.

Mynychai Hywel Dda lys ŵyr Alfred, Æthelstan (924-39) *Basileus y Saeson*, a fynnai dreth flynyddol drom gan ogledd Cymru - sef 20 pwys o aur, 300 pwys o arian, 25,000 o ychen, cŵn a hebogiaid, yn ôl cofnod diweddar Gwilym o Malmesbury. Er mawr lawenydd i'r Gwyddelod a'r Ffranciaid, trechodd Æthelstan gynghrair yr Albanwyr a Northmyn Dulyn o dan Óláf Guthfrithsson (Anlaf) yn 937

ym mrwydr *Brunanburh*, safle nad yw wedi'i adnabod ond y cred rhai ei fod yn swydd Gaer, ar benrhyn Cilgwri yn Bromborough (dihangodd y rhai a drechwyd i Ddulyn). Awgrymwyd safleoedd eraill ar gyfer y frwydr hon, gan gynnwys Burnswark yn Annandale (ger Merin Rheged), Brinksworth yn swydd Efrog a Choedwig

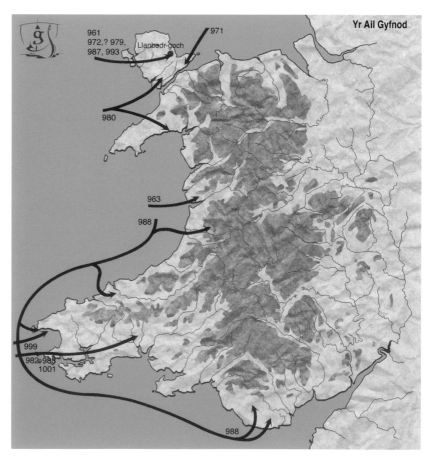

43 *Ail gyfnod ymosodiadau'r Llychlynwyr ar Gymru.*

44 Darlun o'r Brenin Edgar yn cynnig Siartr y Gadeirlan Newydd, Caer-wynt, i Grist.
   (Llundain, Y Llyfrgell Brydeinig, Cotton. Ms Vespasian A. viii, fol. 2v. Â chaniatâd y Llyfrgell Brydeinig)

45 Blaen a chefn darnau arian Edgar, a oedd yn gyfrifol am ddiwygio ac uno arian Eingl-Seisnig. (NMW 55.553/3)

46 Hywel Dda, fel y mae'n cael ei bortreadu yn Historie of Cambria *David Powel (1584). Y portread o Harri'r II a ddefnyddiwyd yn* Chronicles of England *Holinshed (1577) ydyw mewn gwirionedd.*

47 'Ceiniog Hywel Dda', a fathwyd yng Nghaer gan ŵr o'r enw Gillys *(copi). Nid oedd gan Gymru ei harian bath ei hun, a chynnwys celciau o Gymru ddarnau arian a fathwyd yn Lloegr, y Dwyrain Canol ac ar y Cyfandir. (NMW 60.375)*

Bromswald ar y ffin rhwng swydd Northampton a swydd Huntingdon. Cofnodwyd y frwydr bwysig hon yn y blwyddnodau Seisnig, Cymreig a Gwyddelig, ac fe'i disgrifir yn hanes diweddarach Egil Skallagrímsson yn ogystal, a oedd, ynghyd â'i frawd Thorolf, yn gyfrifol am y lluoedd Llychlynnaidd yng ngwasanaeth y brenin Seisnig.

Gall y cyfeiriad at arweinwyr 'Cymreig' (Adils a Hingr) ar ochr y gynghrair rhwng Llychlynwyr ac Albanwyr ddeillio o draddodiad o gefnogaeth gan deyrnas Ystrad Clud (yn ne-orllewin yr Alban), neu efallai mai cymysgu a wnaed â digwyddiadau

48 Tyddewi (Menevia), safle mynachlog a ddaeth yn brif ganolfan cwlt Dewi. Ymosodwyd arni yn rheolaidd gan y Llychlynwyr. Yn 999, lladdwyd Esgob Morgeneu gan Northmyn, ac ym 1080 lladdwyd Esgob Abraham gan y Cenhedloedd.

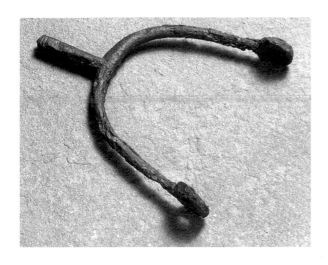

49 *Ysbardun pig haearn o Ruddlan, sir Ddinbych.*
Mae'r gwddf pigfain syth yn diweddu mewn mowldiad a
swmbwl pwyntiol bach; ceir dwy derfynell fodrwy ar
gyfer ei gysylltu wrth ledr. Mae ysbardunau tebyg o
Ddulyn Oes y Llychlynwyr wedi'u darganfod mewn
casgliadau sy'n dyddio o tua 1025-50. Cyfanswm hyd
107mm. Dechrau'r unfed ganrif ar ddeg yn ôl pob
tebyg. (NMW 96.9H)

diweddarach: gwrthryfelodd Idwal o Wynedd, a
oedd wedi talu teyrnged i'r brenin Æthelstan, yn
942.

Mae polisi ymarferol Hywel Dda o gydweithredu
yn cyferbynnu â'r teimladau cryf a fynegwyd
mewn cerdd wrthwynebus enwog a gyfansoddwyd
o bosibl gan fynach o dde Cymru tua 930, sef y
gerdd *Armes Prydein* a oedd yn galw ar y Northmyn
i uno â'r Cymry a'r Brythoniaid eraill mewn
cynghrair i yrru'r Saeson allan o Ynys Prydain.
Gallai hyn fod yn ymateb i faint y deyrnged o
Gymru a fynnodd Æthelstan yn Henffordd.

> *A gynhon Dulyn genhyn y safant.*
> *pan dyffont yr gat nyt ymwadant.*

Llwyddodd y Brenin Edgar (959-75) i gadw Lloegr

yn unedig ac yn ddiogel rhag goresgynwyr am un
flwyddyn ar bymtheg. Yn fuan ar ôl ei goroni
diweddar yng Nghaerfaddon yn 973 hwyliodd o
amgylch Cymru i Gaer, lle y dywedir i wyth brenin
(gan gynnwys Hywel ap Idwal a brenin Manaw,
Maccus (Magnús)) gydnabod ei dra-arglwyddiaeth
drwy ei rwyfo'n symbolaidd ar afon Dyfrdwy tra
daliai ef y llyw.

Dechreuodd yr hyn a elwir yn 'Ail Oes y
Llychlynwyr' yng Nghymru oddeutu 950, yn dilyn
marwolaeth Hywel Dda. Nid oedd yr heddwch a
feithrinwyd gan y brenin Edgar yn ymestyn yn
gyson i Gymru. Yr oedd adnewyddiad yr
ymosodiadau yn cyd-daro â chynnydd mewn
terfysg sifil, ac alltudio Eirík Fwyellgoch o Gaer
Efrog yn 954. Bu nifer o ymosodiadau ar yr
iseldiroedd arfordirol, ac yn arbennig ar
fynachlogydd, fel y rhai ym Mhenmon a Chaer
Gybi (Môn), Tywyn (Gwynedd), Tyddewi (un ar
ddeg o weithiau rhwng 967 a 1091), Clynnog Fawr
(978) a Llandudoch (sir Benfro), Llanbadarn Fawr
(Ceredigion), Llanilltud Fawr a Llancarfan (Bro
Morgannwg). Fodd bynnag, o edrych ar y
cofnodion dogfennol, a all fod yn anghyflawn,
ymddengys i eglwysi Cymru ddioddef llai nag
eglwysi yn Iwerddon. Northmyn wedi'u lleoli yn
Iwerddon, Ynys Manaw (fel Guthroth) neu
Ynysoedd Heledd oedd yr ymosodwyr. Yn 987
dioddefodd de Cymru ymosodiadau gan fyddin a
fu'n gweithredu hyd 1002, pan dalwyd teyrnged
mewn arian iddi (a elwid *gafol* mewn Hen Saesneg).

Yn ôl hanes Gruffudd ap Cynan, adeiladodd ei
daid Óláf Sihtricsson, 'brenin Dulyn', amddiffynfa
o'r enw 'Castell Olaf' neu 'Bon y Dom' yng
Ngwynedd. Ni wyddys hyd yma ymhle y mae'r
safle.

Rhuddlan

Y gred gyffredinol yw mai Rhuddlan oedd lleoliad y *burh* a elwir yn *Cledemutha* a sefydlwyd yn 921 gan Edward yr Hynaf, gan ddod â gogledd-ddwyrain Cymru o dan reolaeth wleidyddol Seisnig uniongyrchol. Mae gwaith cloddio wedi datgelu adeiladau â lloriau suddedig ac aelwydydd o'r ddegfed ganrif. Erys ansicrwydd o hyd a oedd y priddgloddiau i'r de o'r mwnt yn perthyn i'r *burh* Eingl-Seisnig. Nid yw'n eglur a oedd Rhuddlan yn y cyfnod hwn yn ganolfan ranbarthol fawr, neu'n gilfach fechan yn ddibynnol ar ei phorthladd, trafnidiaeth y gororau ac ystadau cyfagos. Tra edrychir ar Ruddlan a'r *burhs* yn draddodiadol fel ymateb i ymosodiadau gan y Llychlynwyr yn nechrau'r ddegfed ganrif, mae'n bosibl yn ogystal fod a wnelont â phroblemau a oedd yn gysylltiedig â goror Cymru (yn achos Rhuddlan fel porthladd ffiniol) ac annheyrngarwch y boblogaeth leol, a bod iddynt ran hefyd mewn polisi Mersaidd o ymestyn tiriogaethol. Daeth Rhuddlan yn ganolfan a llys i Gruffudd ap Llywelyn yn yr unfed ganrif ar ddeg, ond fe'i dinistriwyd gan Harold Godwinson yn ystod ymgyrch gaeaf 1062.

50 Cynllun o Ruddlan (Cledemutha) *a sefydlwyd yn ôl pob tebyg yn 921 er mwyn sicrhau rheolaeth leol a rhoi ffrwyn ar y Llychlynwyr.*

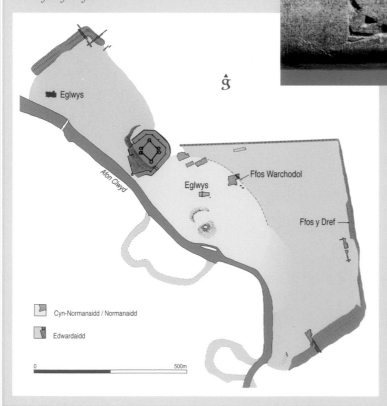

51 Cynllun anorffenedig, a elwir yn 'ddarn nodwedd', o Ruddlan, sir Ddinbych. Mae wedi'i endorri'n fras i asgwrn radiol llo ac mae'n portreadu bwystfil mewn arddull a rhyngles Eingl-Sgandinafaidd. Defnyddid esgyrn yn aml i ymarfer cynlluniau cymhleth arnynt. Hyd y cynllun 43.2mm. (NMW 96.9H)

Ynys Öngul

Mae'n debyg mai ar Ynys Môn y mae'r dystiolaeth am bresenoldeb y Llychlynwyr gryfaf. Mae'r tir âr a'r dolydd ffrwythlon a thonnog sy'n ffurfio'r rhan fwyaf o dirwedd yr ynys yn wahanol iawn i fynydd-dir Eryri ar y tir mawr. Mae iddi arfordir creigiog gydag amryw bentiroedd a thraethau bychain, ynghyd â rhai baeau mwy. O Fynydd Twr (220m o uchder) ar yr ochr orllewinol, mae modd gweld Ynys Manaw a mynyddoedd Wicklow ar ddiwrnod clir. Yn wahanol i'r rhan fwyaf o weddill gogledd Cymru, daeth topograffeg a lleoliad yr ynys (a oedd bellter hwylio o aneddiadau Llychlynnaidd i'r gorllewin, y gogledd a'r dwyrain) ynghyd â ffactorau gwleidyddol, â hi i mewn i'r byd Gwyddelig-Lychlynnaidd. A Môn rhyw 65 milltir (105 km) o Ddulyn, yr oedd yn darged i nifer o ymosodiadau, yn ogystal â masnach. Yr oedd Traeth Coch ar yr arfordir gogledd-ddwyreiniol yn

52 *O dud. 42* The Historie of Cambria, *David Powel 1584*

lloches gysgodol ac yng ngolwg y sawl a hwyliai rhwng Dulyn a Chaer, a dyma fan glanio tebygol Ingimund, arweinydd y Llychlynwyr. Pan laniodd yn 903, cipiodd Ingimund a'i ddilynwyr Maes Ros Meilon, sef Osfeilion mae'n debyg, ardal ger Llan-faes. Yn ôl y blwyddnodau Gwyddelig a Chymreig fe'u gorfodwyd oddi yno gan yr arweinydd o Gymro, Clydog.

Mae'r enwau lleoedd o darddiad Sgandinafaidd sydd wedi eu rhoi i nodweddion amlwg yn dangos bod y Llychlynwyr yn gyfarwydd â'r lle: credir yn draddodiadol bod *Önguls-ey* yn cynnwys enw personol – arweinydd Llychlynnaidd fe dybir – a thybiwyd bod anheddiad o ryw fath ar ran o'r ynys. Mae'r *Skerries, Piscar, Priestholm* ac *Osmond's Air*, ger Biwmares (o *Asmundr* ac *eyrr*, 'banc o ro ger y môr'), i gyd yn nodweddion arfordirol.

53 *Yn y sagâu ac mewn ffynonellau eraill, yn aml cyfrifid pellteroedd rhwng gwahanol fannau gan y Northmyn yn nhermau 'diwrnod o hwylio' (doegr-sigling). Mae union ystyr y term hwn yn ddadleuol: er mai at gyfnod o amser y cyfeiria, efallai mai uned o bellter a olyga. Cyfrifwyd bod yr* half-doegr, *cyfnod o 12 awr o bosibl, yn hafal i bellter o 72 o filltiroedd môr (a ddangosir yma o'r Traeth Coch). Mae pwysigrwydd strategol Môn, yng nghanol de Môr Iwerddon, yn amlwg pan dynnir radii* half-doegr *o Ynys Manaw, Dulyn, Caer a Chilgwri; mae'r holl gylchrannau yn croesi yn nyfroedd Môn. Nid yw hyn yn dangos cyflymder llong nac union amser mordaith. Gallai cyflymder cyfartalog llong Lychlynnaidd amrywio o 3.5 i 8 filltir fôr yr awr ac felly byddai hwylio o Fôn i Ddulyn yn cymryd rhwng 12 a 25 awr.*

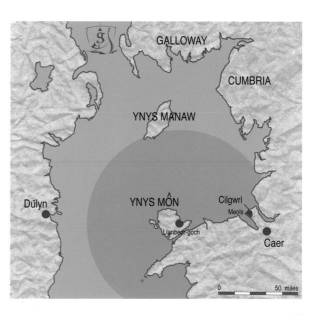

Môn yn y nawfed a'r ddegfed ganrif oedd priod famwlad economaidd a gwleidyddol teyrnas Gwynedd, gyda llys brenhinol yn Aberffraw, mynachlogydd ym Mhenmon a Chaer Gybi a llu o eglwysi yn gwasanaethu ei phoblogaeth Gristnogol.

54 Môn yn 'Oes y Llychlynwyr'. Yn 968 ymosodwyd hyd yn oed ar Aberffraw, yn draddodiadol un o dair gorsedd lwythol Ynys Prydain a phrif lys brenhinol Gwynedd yn ôl pob tebyg, gan Lychlynwyr.

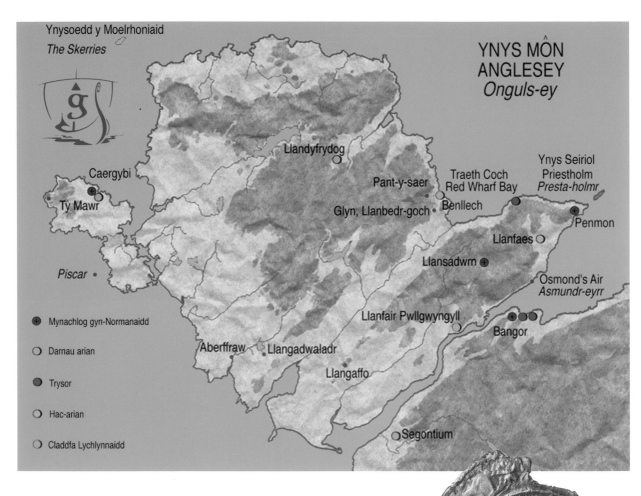

Ynysoedd y Moelrhoniaid
The Skerries

YNYS MÔN
ANGLESEY
Onguls-ey

Llandyfrydog

Caergybi

Ty Mawr

Pant-y-saer

Traeth Coch
Red Wharf Bay

Ynys Seiriol
Priestholm
Presta-holmr

Glyn, Llanbedr-goch

Benllech

Penmon

Llanfaes

Piscar

Llansadwrn

Osmond's Air
Asmundr-eyrr

⊕ Mynachlog gyn-Normanaidd

Llanfair Pwllgwyngyll

Bangor

◐ Darnau arian

⬤ Trysor

Aberffraw

Llangadwaladr

○ Hac-arian

Llangaffo

○ Claddfa Lychlynnaidd

Segontium

55 Mae darganfyddiadau ynysig yn cynnwys y geiniog arian Eingl-Seisnig hon o eiddo Edward Ferthyr (975-78) a gafwyd yn agos i wyneb mewnol mur y gaer Rufeinig yng Nghaer Gybi, Môn. Dyma fangre eglwys Gybi a ysbeiliwyd gan Lychlynwyr yn 961. Byddai'r geiniog yn offrwm i'r eglwys gynnar neu'n ddarn a gollwyd ar ddamwain. Os felly byddai'n arwydd o fasnachu yng nghyffiniau'r fynachlog. (NMW 70.42H/1)

Gwleidyddiaeth Lychlynnaidd a Brodorol

Gyrrwyd arweinwyr y Northmyn o Ddulyn yn gynnar yn y ddegfed ganrif a gwelwyd canlyniadau hyn o amgylch Môr Iwerddon, nes i'r glannau o amgylch y môr ddod erbyn canol y ganrif ar ryw ystyr yn un gymuned 'Lychlynnaidd' o chwaeth a diwylliant. Mae dirnad maint y presenoldeb gwleidyddol Llychlynnaidd yng Nghymru yn fwy anodd. Nid oes tystiolaeth o fodolaeth teyrnas Lychlynnaidd a gyfatebai i'r un yn Nulyn, ond yr oedd gan rai arweinwyr gysylltiadau Cymreig cryfion, a buont yn teyrnasu ym Môn ac ar dir mawr Gwynedd am gyfnod (Óláf, er enghraifft yn nechrau'r unfed ganrif ar ddeg).

Ychydig a geir yn y blwyddnodau am ddiben cyrchoedd y Llychlynwyr. Yn sicr cipiwyd da cludadwy, nwyddau a chaethion, halogwyd cysegrfannau a chreiriau, ac yn 998 lladdwyd Esgob Tyddewi, Morgeneu. Un o amcanion pwysig y cyrchoedd diweddarach yn ôl pob tebyg oedd cipio carcharorion, megis llywodraethwyr a gwŷr dysgedig, i'w cyfnewid am bridwerth: ar un ystyr, ffordd o fynnu teyrnged. Er enghraifft, yn 989 gorfodwyd Maredudd ab Owain, gor-gor-ŵyr i Rhodri Mawr

a brenin Dyfed, i dalu ceiniog yr un o bridwerth am garcharorion o Gymry i'r *cenhedloedd duon*. Ddiwedd y ddegfed a dechrau'r unfed ganrif ar ddeg talodd Æthelræd o Loegr drethi enfawr i arweinwyr y Llychlynwyr, a fynnai'r arian i dalu i'w byddinoedd am eu cefnogaeth yn eu hymgiprys am rym. Yn aml telid i filwyr cyflog mewn caethweision, fel y gwnaeth Rhys ap Tewdwr i filwyr cyflog y Northmyn a'r Gwyddelod am helpu i'w ailorseddu yn arglwydd Deheubarth *c*. 1088.

Trowyd meibion Harald, Magnús Haraldsson a Guthröth, o Lincoln oddeutu 967 a bu iddynt ran yng ngwleidyddiaeth Gwynedd yn y 970au tra buont ar Ynys Manaw. Gwnaethant ymdrechion i ennill rheolaeth wleidyddol ar Fôn, ac ymosod arni yn 971, 980 a 987. Ymddengys i fordaith y Brenin Edgar o amgylch Cymru i Gaer wneud argraff ar Magnús, a ymunodd yn y ddefod i dalu gwrogaeth iddo ar afon Dyfrdwy yn 973 neu 974. Yn ôl y blwyddnodau Cymreig, ymunodd Guthröth â *chenhedloedd duon* i ymosod ar Fôn yn 987, a chofnodwyd y cyrch ym Mlwyddnodau Gwyddelig Ulster -'enillwyd brwydr Manu gan fab Aralt a'r Daniaid, a lladdwyd mil yno'. Yn ôl y blwyddnodau, aeth Guthröth â chymaint â dwy fil o garcharorion o Fôn. Mae un ffynhonnell yn cofnodi i Magnús (*Maccus*) feddiannu'r ynys, rhan o deyrnas Iago. Byrhoedlog fu tra-arglwyddiaeth y Llychlynwyr ac ymhen 70 mlynedd yr oedd y sefyllfa wleidyddol wedi newid eto. Erbyn 1039 yr oedd Gruffudd ap Llywelyn wedi ennill rheolaeth ar y Northmyn yng Nghymru a theyrnasai yn frenin Gwynedd, a daeth unrhyw hawl gan Ddulyn i dra-arglwyddiaeth i ben. O 1055 hyd ei farw ym 1063, rheolai Gruffudd Gymru gyfan mewn egwyddor.

56 *Un o bum breichrwy arian o fath Gwyddelig-Lychlynnaidd o'r Traeth Coch, Môn. Maent yn debyg o ran dyddiad i drysor mawr Cuerdale a gafwyd o afon Ribble ger Preston, a gladdwyd tua 905, yn fuan wedi i'r arweinydd Llychlynnaidd, Ingimund gael ei yrru o Fôn. (NMW 28.215)*

Cnut

Yr oedd teyrnas y mwyaf o frenhinoedd y Llychlynwyr, Cnut (a deyrnasai o 1016 i 1035) i ymestyn i rannau o ogledd Cymru. Ym 1014 bu farw Svein Fforchfarf, brenin Denmarc a oedd wedi arwain ymosodiadau enfawr ar Loegr, ac yntau ar ganol ymgyrch yno. Dewisodd fflyd y Daniaid, ynghyd ag arweinwyr Seisnig teyrnas Lindsey, ei fab, Cnut, yn arweinydd. Gorfodwyd Cnut ar y cychwyn i gilio'n ôl i Ddenmarc, ond dychwelodd ym 1015 gyda fflyd o 200 o longau. Enillodd reolaeth ar deyrnas Northumbria ym 1016 ac ymladd cyfres o frwydrau ffyrnig â mab Æthaelræd, Edmund Ironside. Ym mrwydr Ashingdon yn Essex ym mis Hydref y flwyddyn honno, gorchfygodd Edmund, ac ym mis Tachwedd penderfynasant rannu'r deyrnas rhyngddynt – gyda Cnut yn ennill Mersia a'r Ddaenfro. Pan fu farw Edmund yn fuan wedyn, daeth Cnut yn frenin ar Loegr gyfan, a oedd bryd hynny'n cynnwys tir a ddeuai ymhen amser yn rhan o sir y Fflint (sef Tegeingl). Yr oedd yn un o'r cryfaf o frenhinoedd y Llychlynwyr, yn frenin cadarn ar Loegr a barhaodd â pholisi o drethu trwm ac amhoblogaidd, a gyflwynwyd gan Æthelræd, or enw *heregeld*, i dalu am hurio byddin a llynges. Yn ystod ei deyrnasiad, bu saib yn y cofnod blynyddol o ymgyrchoedd Llychlynnaidd, er i Dyddewi ddioddef ym 1022.

58 *Cnut a'i frenhines, Emma (Aelfgifu) yn cyflwyno croes yn y New Minster, Caer-wynt, o'r* Liber Vitae *cyfoes yn Abaty Hyde. Ceisiodd Cnut gael ei dderbyn gan gyfoeswyr a defnyddiodd yr eglwys yn gyfrwng cymodi pwysig. Sylwer ar siâp bwlyn y cleddyf a'r math o wisg. (Llundain, y Llyfrgell Brydeinig, Stowe 944, fol. 6r. Trwy ganiatâd y Llyfrgell Brydeinig)*

57 *Un o geiniogau arian Cnut (1016-35) o'r math 'helm bigfain' o'r trysor o 204 o ddarnau a gafwyd ym Mryn Maelgwyn, Gwynedd. Fe'i bathwyd yn y bathdy yn Amwythig. Claddwyd y trysor c. 1024. (NMW 79.105H/202)*

Y Cyrchoedd Diweddarach

Yn dilyn cyfnod cymharol heddychlon, dechreuodd trydydd cyfnod o ymosod ar Gymru yn ystod ail hanner yr unfed ganrif ar ddeg, yn gysylltiedig â digwyddiadau yn arwain at Oresgyniad y Normaniaid. O ddiwedd y ddegfed ganrif ymlaen, cynyddodd y presenoldeb Sgandinafaidd yn aber afon Hafren, a chymerodd Bryste le Caer fel prif ganolbwynt cyswllt masnachol Gwyddelig-Lychlynnaidd â Lloegr Eingl-Seisnig. Wedi i Forgannwg gael ei hysbeilio gan Ddaniad yng ngwasanaeth y brenin Cnut, yr Iarll Eilaf (1018-24), ffodd y clerigwyr o Lancarfan gyda chreiriau a chreirfa'r sant. Yn ôl Buchedd Cadog, ymosododd y Daniaid a'r Saeson arnynt ym Mamheilad (*Mammeliat*) ger Brynbuga yn sir Fynwy, a llwyddodd un ymosodwr i dorri 'asgell eurog' (terfyniad) y greirfa ymaith â'i gleddyf. Ymestynnodd Gruffudd ap Llywelyn, brenin Gwynedd (1039-63) ei deyrnas i gyrion dwyreiniol Môr Hafren (teyrnasoedd Morgannwg a Gwent). Gan fanteisio ar elyniaeth rhwng arglwyddi Lloegr yn ystod teyrnasiad Edward Gyffeswr ynghyd â gweithredoedd y Llychlynwyr,

59 *Adferodd Maredudd ap Edwin (m. 1035) linach Rhodri i orsedd Deheubarth ym 1033. Fe'i cysylltwyd â'r 'Margiteu' a goffeir yn yr arysgrif ar y groes a saif yng Nghaeriw, sir Benfro.* ECMW 303.

daeth Gruffudd maes o law i reoli'r cyfan o'r hyn a elwir heddiw yn Gymru ac i fod yn berchennog ar ei lynges ei hun. Enillodd fri fel arweinydd rhyfel a bu yn ôl *Brut y Tywysogyon* yn 'ymlid y paganiaid a'r Saeson mewn llawer brwydr'.

I rai yn ystod yr unfed ganrif ar ddeg, yr oedd y

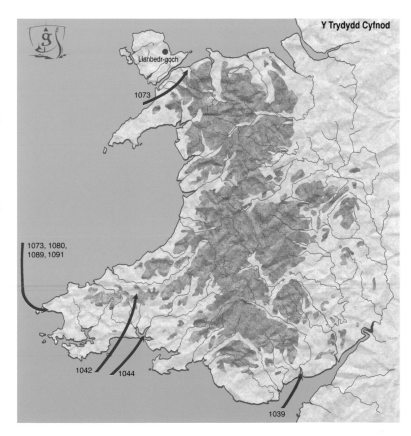

60 *Map o ymgyrchoedd Llychlynnaidd diweddarach. Yr oedd patrwm yr ymosod yn gysylltiedig â hynt a helynt y Llychlynwyr yn Iwerddon – yn cynyddu pan oedd pethau'n anffafriol yno, ac yn arafu yng Nghymru erbyn canol y 1050au. Bwriwyd y bygythiad Gwyddelig-Lychlynnaidd i'r cysgod gan broblemau yn nes adref.*

Brwydr Afon Menai

Arweiniodd brenin Norwy, *Magnús berfœttr* (Magnus 'Noethgoes') ymgyrch greulon i ymestyn ei awdurdod dros Fanaw a'r Ynysoedd ym 1098, ymgyrch a olygodd hefyd ddiwedd ar y droedle a sefydlwyd gan y Normaniaid ym Môn ac Arfon *c.* 1090. Mewn ymdrech i wrthsefyll y Normaniaid dan Hugh de Montgomery (Iarll Amwythig) a Hugh o Gaer, ymunodd Cadwgan, brenin Powys ar ynys Môn â Gruffudd ap Cynan, a gawsai gymorth un llong ar bymtheg gan Muirchertach Uí Briain, brenin Gwyddelig Munster. Yn anffodus, ciliodd y llongau hyn at y Normaniaid a ffodd Gruffudd yn ôl i Iwerddon gyda'i gynghreiriad a'i fab yng nghyfraith, Cadwgan ap Bleddyn. Ychydig ddyddiau yn ddiweddarach, cyrhaeddodd llynges Magnús gyrion Môn yn annisgwyl (yn '*Öngul-sound*'), ar ochr y Cymry, a dynesu at yr ynys â thair llong. Trechodd llu o Gymry a Norwyiaid y Normaniaid mewn brwydr, a lladdwyd y Norman, yr Iarll Hugh o Amwythig ('Huw Ddewr') (yn ôl y sôn fe'i saethwyd yn ei lygad gan Magnús ei hun). Dathlwyd y digwyddiad gan fardd y llys, Thorkel hamarskáld:

'Curai saeth ar arfwisg. Saethodd y pennaeth yn nerthol. Plygodd teyrn nerthol pobl Agder ei fwa. Tasgodd gwaed ar helmau. Hedfanodd cenllysg [saethau] o'r bwâu i'r llurigau, syrthiodd y llu, a pharodd tywysog pobl Hordaland ladd yr iarll mewn brwydr galed am dir.'
(o gyfieithiad i'r Saesneg gan Judith Jesch)

Yn sgil y fuddugoliaeth yn Mrwydr Afon Menai bu modd i Gruffudd ap Cynan ddychwelyd i Fôn a chyfnerthu ei afael ar Wynedd, yr oedd yn ei reoli'n gadarn erbyn 1114. Ym 1103 ymwelodd Magnús â Môn i gael coed i adeiladu caerau ar Fanaw.

61 Bwlynnau cleddyfau o aloi copr, o Lan-faes, Môn a safle ger Penfro, Aberdaugleddau. Mae eu ffurf labedog hwyr yn nodweddiadol o'r ddegfed neu'r unfed ganrif ar ddeg. Gallent fod wedi eu defnyddio gan ryfelwyr Eingl-Seisnig, Cymreig neu Lychlynnaidd. Chwith: lled 51.1mm; NMW 96.17H. De 42mm.

Sgandinafiaid yn gynghreiriaid ac yn ffynhonnell milwyr cyflog, a bu'n gyfnod o gynghreirio rhwng Gwynedd ac arweinwyr y Northmyn yn Nulyn ac Ynys Manaw. Mae'r Athro Wendy Davies hyd yn oed wedi awgrymu rhyw gymaint o reolaeth Sgandinafaidd ar ogledd Cymru erbyn dechrau'r unfed ganrif ar ddeg. Anrheithiodd Gruffudd ap Llywelyn Henffordd ym 1055 â chymorth mab Leofric o Fersia, sef yr herwr Iarll Ælfgar, a deunaw llong Lychlynnaidd o Iwerddon. I selio'r gynghrair newydd hon, priododd ferch Ælfgar, Ealdgyth. Llofruddiwyd Gruffudd ym 1063 ar ôl cael ei orchfygu'n drwm sawl gwaith gan Harold Godwinson a'i frawd Tostig. Priododd Harold weddw Gruffudd ap Llywelyn, Ealdgyth, ond lladdwyd yntau ymhen ychydig flynyddoedd gan Wilym o Normandi ym mrwydr Hastings ym 1066.

Ganed Gruffudd ap Cynan (1055-1137) yn Nulyn i rieni o dras gymysg Gymreig-*Ostman*-Gwyddelig ac

62 Ceiniog arian Sant
   Pedr o Gaer Efrog,
   o drysor 1894
   Bangor, gydag
   arwyddlun
   cleddyf (bathwyd c.
   910-19).
   (Casgliad Prifysgol
   Cymru, Amgueddfa ac
   Oriel Gelf Bangor 790)

63 Darn o arian Sigtryggr
   Sidanfarf (Sigtryggr
   Óláfsson, Silkiskeiggi)
   (989-1036), Brenin y
   Gwyddelod
   [+SITERIC REX
   IRVM], o drysor Bryn
   Maelgwyn, Gwynedd.
   Yn ôl hanes Historia
   Gruffud vab Kenan,

ymsefydlodd ei fab Óláf Sihtricsson yng Ngwynedd, ac
adeiladu castell cadarn o'r enw 'castell y brenin Óláf'
neu yn Gymraeg 'Bon y Dom'. (NMW 79.105H/204)

fe'i magwyd ymhlith y gymuned Ddanaidd yn
Nulyn. Gwnaeth sawl ymgais i ailsefydlu hen
linach Rhodri fel brenin Gwynedd yn rhan olaf yr
unfed ganrif ar ddeg. Ar ôl un methiant, arhosodd
â brenin Dulyn (Diarmait Uí Briain) am gyfnod,
tra'n codi cymorth ar gyfer ei gyrch nesaf ar
Gymru. Cyflwynodd y brenin iddo lynges a
Daniaid, Gwyddelod a Brythoniaid yn hwylio arni.
Ym 1081 ymunodd â Rhys ap Tewdwr, a oedd yn
hawlio brenhiniaeth Deheubarth, a chyda'i gilydd
bu iddynt orchfygu tri o'r mân-dywysogion
brodorol, sef Trahaearn ap Caradog (arweinydd
Arwystli, a Gwynedd yn ddiweddarach), Meilyr ap
Rhiwallon a Charadog ap Gruffudd arweinydd
Morgannwg) ym mrwydr Mynydd Carn ger Aber-
gwaun.

Prin y gellir synnu bod llyngesau Llychlynnaidd a
Gwyddelig-Lychlynnaidd yn elfen amlwg yng
ngwleidyddiaeth Cymru. Er hynny, nid oedd pob
cyrch yn llwyddiannus. Ar un achlysur (tua 1087?)
arweiniodd Gruffudd ap Cynan gyrch â phedair
llong ar hugain i fyny aber Hafren. Yn ol Buchedd
Gwynllyw Sant, a luniwyd tua 1130, bu trychineb
yn ystod eu taith yn ôl o'r Barri ad Orcades (sef
Ynysoedd Erch, a ddefnyddid yn ddihangfan) wedi
iddynt ysbeilio eglwys Sant Gwynllyw (Eglwys
Gadeirlan St Woolos, Casnewydd heddiw): '...Yr
oedd y llongau dan hwyliau, ond ni allai'r hwyliau
wynebu'r gwyntoedd gan gryfed oeddynt. Po
fwyaf y rhwyfai'r rhwyfwyr mewn un cyfeiriad,

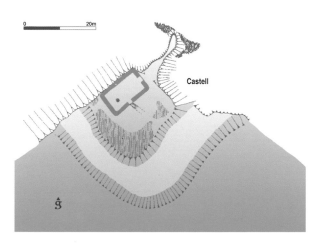

64 Cysylltwyd y gaer arfordirol ar y pentir yn y Castell,
Porth Trefadog, Môn â'r cysylltiadau yn yr unfed ganrif
a'r ddeg a'r ddeuddegfed ganrif rhwng brenhinoedd
Gwynedd a Llychlynwyr Dulyn a Manaw. (Trwy
garedigrwydd Ymddiriedolaeth Archaeolegol Gwynedd)

cymaint yn fwy y caent eu gwthio'n ôl gan y
gwyntoedd. Ysgytwyd offer y llong, a'i falurio'
(Vita Sancti Gundleii, p. 12, o gyfieithiad Saesneg A.
W. Wade-Evans). Suddwyd y llynges gyfan, ac
eithrio dau gwch, cyn y gallai gyrraedd y lan.

65 *Priestholm* (presta-holmr), *Môn - a elwir hefyd yn Ynys Seiriol neu* Puffin Island. *Mae Penmon yn y cefndir. (Hawlfraint y Goron: y Comisiwn Brenhinol ar Henebion Cymru)*

Y Rhyfelwr Llychlynnaidd

Yr oedd gan bob un o'r Northmyn rhydd yr hawl i ddwyn arfau a disgwylid iddynt ymgynnull ar orchymyn eu brenin neu arglwydd rhyfel. At ei gilydd, ar droed yr ymladdai'r Llychlynwyr, a'u prif arfau oedd y waywffon, y fwyell neu'r cleddyf. Cafwyd hefyd fwâu a chyllyll hirion un-ymyl, o'r enw *saxes*, yn y beddau a gynhwysai arfau ac offer rhyfelwyr. Byddai'r math o arf a'i ansawdd yn arwydd o safle'r person a gleddid.

Y cleddyf oedd y ceinaf o'u harfau, ac fe'i prisid ar gyfer brwydro unigol ac fel arwydd o rym aristocrataidd. Y math mwyaf cyffredin oedd y llafn llydan, syth, deufiniog, a oedd fel rheol oddeutu metr o hyd. Byddai carn addurniedig yn arwydd o ryfelwr uchel ei dras. Cafwyd hyd i lawer o gleddyfau Llychlynnaidd naill ai mewn beddrodau neu mewn afonydd. Fel rheol, o haearn y gwneid bwlynnau cleddyfau, ond cafwyd hyd i enghreifftiau o aloi copr hefyd. Cafwyd un carn pres arbennig o gain ym 1992 yn y môr tuag un filltir ar bymtheg (26km) oddi ar arfordir sir Benfro, ar Greigres y Smalls. Nid oedd ei lafn deufiniog, y rhan bwysicaf o'r cleddyf, wedi goroesi, ond gallai fod wedi ei batrwm-asio i'w gryfhau a'i harddu.

66 *Blaen-gwaywffon haearn a bwyell lafn-llydan o Insula XII, Caer-went. Mae i'r fwyell ymyl grom a llafn ag ochr geugrom (hyd 132 mm), ac mae rhan o goes y fwyell wedi goroesi. Mae'r ddau arf yn dyddio mae'n debyg o ddiwedd y nawfed ganrif neu'r ddegfed ganrif. Yn y molawd i Gruffudd ap Cynan rhoddir teyrnged arbennig i 'wŷr Denmarc a'u bwyeill deufiniog' (ac eu bwyeill deuvinyauc) ym Mrwydr Mynydd Carn (1081). Gwaywffon: hyd 550mm (Amgueddfa ac Oriel Gelf Casnewydd; NPTMG: D2/43). Bwyell: lled 126mm (Amgueddfa ac Oriel Gelf Casnewydd; NPTMG: D2/904).*

67 *Ceir awgrym o statws rhai pobl fel rhyfelwyr yn y garreg hogi grog gain a gafwyd o fewn y clostir yn Llanbedr-goch, Ynys Môn. Mae'r amgarn efydd ariannog sy'n edrych o unrhyw ochr fel helmed bigfain â giard-trwyn, yn cynnwys crog-gylch fel y gellid crogi'r garreg hogi wrth wregys. Mae'n debyg y byddai'n cael ei defnyddio i hogi llafn cleddyf cain ac y byddai'n arwydd hefyd o bŵer ac awdurdod. Yr oedd hogi a chaboli llafn yn waith a alwai am fedr, fel y nodir yn y Mabinogion, pan geisia Wrnach Gawr rywun i gaboli ei gledd. Yr oedd 'hogwr cleddyfau', swurd hwita, ymhlith swyddogion tylwyth y Tywysog Æthelstan o Wessex yn yr unfed ganrif ar ddeg. Hyd y cyfan 267mm. (NMW 95.46H/1)*

Gwaywffyn yw rhai o'r arfau mwyaf cyffredin a geir mewn beddau. Yr oedd rhai wedi eu patrwm-asio neu eu haddurno'n gain, ond yr oedd llawer yn rhatach i'w cynhyrchu, heb fod angen llawer o haearn arnynt. Yn ogystal ag i hela, fe'u defnyddid fel yr unig arf ymwthio a oedd ar gael a gadwai ymosodwr bellter i ffwrdd wrth frwydro wyneb yn wyneb. Cafwyd un waywffon socedog o'r fath yn mesur '20 modfedd' (50cm) o hyd mewn bedd Llychlynnaidd yn Llanasa, sir y Fflint, yn y 1930au, ac mae'n bosibl bod un arall a gafwyd ynghyd â bwyell yng Nghaer-went, sir Fynwy wedi ei rhoi mewn bedd (er na chofnodwyd dim am eu hunion berthynas pan ddarganfuwyd hwy ym 1910 neu 1911).

Amrywiai'r math o fwyell yn ôl ei swyddogaeth - boed hynny'n weithio pren, hela neu ymladd.

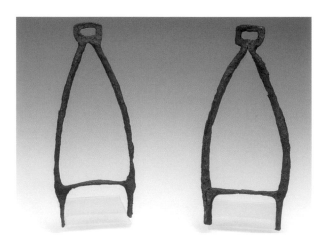

Erbyn yr unfed ganrif ar ddeg, yr oedd bwyeill arbennig â llafnau llydan wedi eu datblygu i'w defnyddio â dwy law. Ar Dapestri Bayeux, maent yn ymddangos fel arf arbennig gan fyddin Harold. Yr oedd saethwyr â bwa a saeth hefyd yn rhan o fintai o ryfelwyr, a chenid mawl i'w gweithredoedd mewn cerddi yn dathlu brwydrau (fel brwydr Afon Menai ym 1098).

Ychydig iawn o helmau Llychlynnaidd a gafwyd, ond ceir rhai atgynyrchiadau miniatur, ac fe'u gwelir ar ddarnau arian hefyd. Maent i'w gweld ar rai o'r darnau gwyddbwyll o blith y casgliad mawr o ddarnau eifori ac asgwrn morfil o'r ddeuddegfed ganrif a gafwyd ym 1831 ar Ynys Lewis yn Ynysoedd Allanol Heledd. Cafwyd darlun arall o ben rhyfelwr, a gerfiwyd ar gorn carw, yn Sigtuna yn Sweden. Dengys helmed gonigol sydd fel petai wedi ei llunio o bedwar plât a rybedwyd at ei gilydd, rimyn talcen a giard-trwyn syth wedi ei addurno â motiff cylch a dot. Mae'r un motiff yn addurno 'giard-trwyn' amgarn ar ffurf helm ar faen hogi o Lanbedr-goch, Môn (gweler ffigwr 67) Mae'n debyg mai eiddo rhyfelwyr cyfoethog a nerthol fyddai darnau o'r fath, ac mae'n annhebygol y byddent yn eiddo i filwr, ffermwr neu bysgotwr cyffredin.

Amddiffynnai'r Llychlynwyr eu hunain mewn brwydr â thariannau crwn a guddiai'r corff o'r ysgwydd i'r glun. Yr oedd y rhain wedi eu gwneud o bren (fel pisgwydd) ac weithiau fe'u rhwymid â lledr a metel; gellid addurno'r darian â mowntinau metel, a byddai bogail haearn yn y canol yn amddiffyn y llaw a'i chludai. Erbyn yr unfed ganrif ar ddeg, daethai tariannau ar ffurf barcud yn boblogaidd.

68 Gwartholion haearn o Eglwys Fair y Mynydd, Morgannwg. Mae gan bob gwarthol ddolen sgwâr yn parhau o'r breichiau bwa, sy'n plygu i ffurfio lle dwfn i'r droed. Diwedd y nawfed ganrif, neu'r ddegfed. Uchderau 232mm a 233mm. (NMW 94.250)

Yr oedd marchog-ryfelwyr yn llai cyffredin, er y cânt eu cynrychioli'n achlysurol gan geffylau a gladdwyd gyda Llychlynwyr cyfoethog, ac offer marchogaeth a ddarganfuwyd. Darganfuwyd un o dri yn unig o barau o wartholion o Brydain ac Ynys Manaw yng Nghymru yn ystod y bedwaredd ganrif ar bymtheg yn Eglwys Fair y Mynydd, Morgannwg. Credir bod eu nodweddion yn gynnar, ac mae'n debyg eu bod yn dod o gladdedigaeth Lychlynnaidd baganaidd yn niwedd y nawfed ganrif neu'r ddegfed ganrif.

Mae'n hawdd gorbwysleisio'r gwahaniaeth rhwng yr offer a ddefnyddid gan ryfelwyr Llychlynnaidd a brodorol, gan y byddai offer tebyg ar gael i'r ddwy ochr. Ond efallai y byddai strategaeth y naill a'r llall yn wahanol.

69 *Weithiau byddai rhyfelwyr yn gwisgo llurigau.*
    Dangosir yr atgynyrchiadau hyn yn cael eu gwisgo yn
    Llanbedr-goch, Môn.

Dyrnfol Cleddyf Creigres y Smalls

Mae'r ddyrnfol efydd hon wedi ei haddurno ar y ddwy ochr â phâr o anifeiliaid ffurfiol mewn proffil, gyda phâr o fwystfilod neidraidd yn ymblethu rhyngddynt mewn fersiwn llyfn o'r dull Llychlynnaidd diweddar a

70 *Dyrnfol Cleddyf Creigres y Smalls*

elwir *Urnes*. Mewnosodwyd stribedi o wifren arian i aroleuo a harddu'r cynllun, ac yr oedd y rhwyllwaith yn gweithredu fel sail ar gyfer *niello* du a fyddai wedi creu cefndir gwrthgyferbyniol trawiadol. Ar ben y ddyrnfol, mae dau fwystfil bychan yn y dull Gwyddelig yn brathu'r ddwy ochr i'r carn.

Mae arddull y ddyrnfol yn perthyn i oddeutu 1100-25, ac yn gysylltiedig â gwaith metel a phren a gynhyrchwyd yn Iwerddon yn ystod yr unfed ganrif ar ddeg. Mae'r cymesuredd cryf a chyfansoddiad lletraws y cynllun yn dwyn i gof yr addurnwaith ar waith metel eglwysig Gwyddelig y cyfnod, ac mae dylanwad 'Ynysaidd' yn amlwg yn y manylion ar y bwystfilod. Mae disgleirdeb technegol y ddyrnfol yn adlewyrchu'r bri a oedd ar nawdd seciwlar yn Iwerddon yn y ddeuddegfed ganrif.
Lled 118mm. (NMW 92.57H)

Meistri'r Cefnforoedd

'Llym yw'r gwynt heno
a gordda ewyn yr eigion;
Nid ofnaf wyllt ryfelwyr Norwy
sy'n hwylio Môr Iwerddon.'
(Pennill Gwyddelig, Llyfrgell St Gall, nawfed ganrif; o gyfieithiad i'r Saesneg gan K. H. Jackson, 1935)

Golygai'r gallu i adeiladu llongau o faint a allai hwylio'r cefnforoedd – llongau a folwyd fel 'dreigiau'n frith o haearn', 'meirch y môr' a 'llongau cain eu cerfiad' – fod modd i'r Llychlynwyr symud ar draws Môr y Gogledd, Môr Iwerddon a Gogledd Cefnfor Iwerydd. Mae ffurf ddeuben nodedig y llong Lychlynnaidd un-hwylbren â'i rigin sgwâr a'r codiad yn ei phennau blaen ac ôl yn cynrychioli perffeithrwydd cynllun llong o fewn traddodiad Gogledd Ewropeaidd o adeiladu llongau sy'n mynd yn ôl i'r bumed ganrif OC o leiaf.

Gydag amser datblygodd gwahaniaethau rhanbarthol a swyddogaethol yn y mathau o gychod, a oedd yn bwysig i fywyd y Llychlynwyr, boed i gynaeafu'r moroedd neu i deithio. Erbyn yr unfed ganrif ar bymtheg, ceid llongau masnach arfordirol bychan, cludwyr llwythi llydan, a llongau rhyfel mawrion a chyflym o hyd at 35m o hyd, yn ogystal â *faerings* (cwch 'pedair-rhwyf') bychan i ddau rwyfwr. Gallai maint llynges amrywio o ryw ddwsin i rai cannoedd o longau, er y gall fod y sagâu wedi gor-ddweud rhai o'r ffigurau mwyaf a ddyfynnir ynddynt. Er gwaethaf medrau hwylio a drosglwyddid o genhedlaeth i genhedlaeth, a dulliau mordwyo â thirnodau a hebddynt, yr oedd

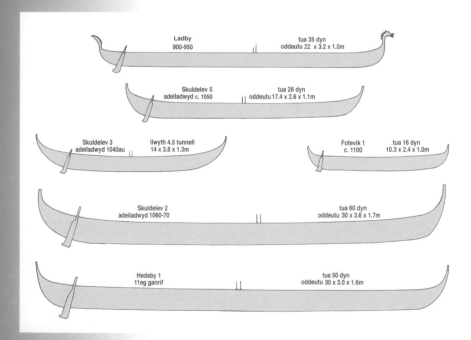

71 Silŵetau gwahanol gychod, yn dangos yr amrediad o feintiau a chynwyseddau. (Seiliedig ar O. Crumlin-Pedersen 1991)

Ladby
900-950
tua 35 dyn
oddeutu 22 x 3.2 x 1.0m

Skuldelev 5
adeiladwyd c. 1050
tua 26 dyn
oddeutu 17.4 x 2.6 x 1.1m

Skuldelev 3
adeiladwyd 1040au
llwyth 4.5 tunnell
14 x 3.8 x 1.3m

Fotevik 1
c. 1100
tua 16 dyn
10.3 x 2.4 x 1.0m

Skuldelev 2
adeiladwyd 1060-70
tua 60 dyn
oddeutu 30 x 3.6 x 1.7m

Hedeby 1
11eg ganrif
tua 50 dyn
oddeutu 30 x 3.0 x 1.6m

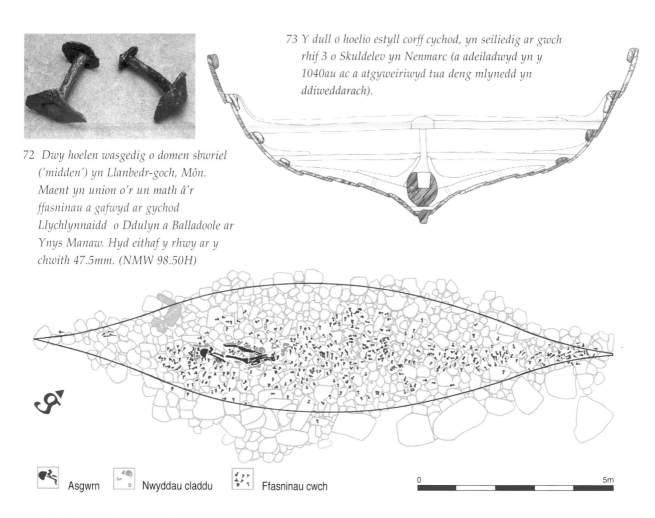

72 Dwy hoelen wasgedig o domen sbwriel ('midden') yn Llanbedr-goch, Môn. Maent yn union o'r un math â'r ffasninau a gafwyd ar gychod Llychlynnaidd o Ddulyn a Balladoole ar Ynys Manaw. Hyd eithaf y rhwy ar y chwith 47.5mm. (NMW 98.50H)

73 Y dull o hoelio estyll corff cychod, yn seiliedig ar gwch rhif 3 o Skuldelev yn Nenmarc (a adeiladwyd yn y 1040au ac a atgyweiriwyd tua deng mlynedd yn ddiweddarach).

Asgwrn   Nwyddau claddu   Ffasninau cwch

0 ————— 5m

74 Y gladdedigaeth-gwch Lychlynnaidd yn gynnar yn y ddegfed ganrif yn Balladoole, Ynys Manaw. Er tarfu arnynt, mae safle'r hoelion gwasgedig, yr ysgerbwd a'r nwyddau claddu yn awgrymu ffurf gyffredinol y cwch a'r gladdedigaeth. Claddwyd y rhyfelwr gydag arfau ac offer (ffrwyn, gwartholion a sbardunau) a gwisgai bin cylchog Gwyddelig i gau'r clogyn. Claddwyd corff benywaidd hefyd, heb nwyddau claddu.

morwyr Llychlynnaidd yn dal yn agored i'w chwythu ar gyfeiliorn ac ar greigiau. Mae Brut y Tywysogyon yn nodi bod llynges o Iwerddon yn y flwyddyn 1050 neu 1052 wedi suddo ger glannau teyrnas Deheubarth sy'n dangos maint rhai o'r

trychinebau a allai ddigwydd.

Yr oedd cychod yn ddrud i'w hadeiladu. Hyd yn oed ar gyfer cwch cymedrol ei faint o ryw 14m o hyd yr oedd angen sawl mil o hoelion gwasgedig (sawl can kilo o haearn) i hoelio estyll corff y cwch at ei gilydd fel eu bod yn gorgyffwrdd. Câi pren y llawr (yr asennau isaf) eu hoelio i'r estyll, ond nid yn uniongyrchol i'r cilbren, gan greu corff hyblyg â nodweddion mordwyo rhagorol. Gan fod y llongau'n rhai bas gallent deithio i fyny afonydd a glanio ar lannau ar oleddf heb fod angen cei.

Mae'r dystiolaeth archaeolegol i gychod Llychlynnaidd ym Mhrydain ac Iwerddon wedi ei

57

Llongddrylliad y Llychlynwyr ar Greigres y Smalls

Tua saith milltir fôr (13km) yn union i'r gorllewin o ynys Gwales ym Môr Iwerddon mae creigiau basalt a dolerit peryglus a rhannau ohonynt yn brigo i wyneb y dŵr, creigiau a elwir heddiw *The Smalls*. Ym 1991, gwelodd plymiwr wrthrych glas yn ymwthio o'r ochr isaf i un o'r platiau metel o un o'r llongddrylliadau modern sy'n britho gwely'r môr o gwmpas y creigiau a'r rhigolau hyn. Cafwyd yn ddiweddarach mai dyrnfol cleddyf pres o ddiwedd Oes y Llychlynwyr ydoedd (gweler t. 55).

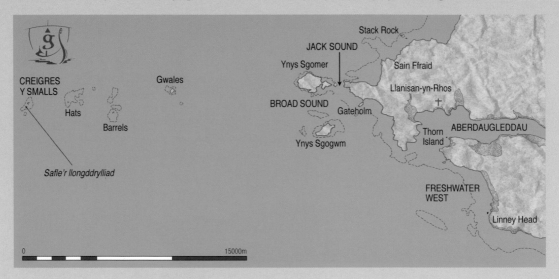

Trefnodd Amgueddfa Genedlaethol Cymru i archwilio'r greigres ym 1992 er mwyn cofnodi'r man darganfod yn fanwl a phenderfynu pa mor debygol fyddai darganfod rhagor o ddeunydd yno wedi ei gadw o Oes y Llychlynwyr. Prin y byddai darnau mawr o adeiladwaith llongau wedi eu cadw mewn man mor erwin, ond efallai y byddai mân wrthrychau wedi eu claddu, eu dal rhwng creigiau neu eu gorchuddio â charegiad. Golygai'r ymchwil blymio anturus gan osgoi'r llanw yn y rhigolau cul a serth o gwmpas y goleudy, a hynny gan amlaf tra hyrddiai môr Iwerydd ei donnau yn erbyn y creigiau.

75 (uchaf) 76 (isaf) De-Orllewin Cymru, yn dangos lleoliad Creigres y Smalls.

Yr oedd y ddyrnfol wedi ei darganfod ym mhen draw un o'r rhigolau, mewn oddeutu 11m o ddŵr. Yr oedd wedi ei dal o dan blât haearn mawr y credir iddo ddod o gragen y llong ager *Rhiwabon*, a ddrylliwyd yn yr un man ym 1884. Ni chafwyd unrhyw olion o weddill y cleddyf eto, ac mae'n bosibl i'r ddyrnfol gael ei gwahanu oddi wrth y rhannau eraill gan ddigwyddiadau diweddarach, fel colli'r *Rhiwabon*, y mae ei chragen isaf bellach wedi caregu ynghlwm wrth y creigiau i ffurfio ffug greigres.

Mae'n debyg y byddai arf mor werthfawr â hwn, a oedd efallai'n eiddo personol neu'n rhodd i gyfaill neu gynghreiriad, wedi ei gadw mewn bag lledr dwrglos neu ei ddiogelu ar fwrdd y llong mewn cist. Drylliwyd y llong a gludai'r cleddyf ar y Smalls, a orweddai ar un o'r llwybrau môr hirbell, rywbryd yn ystod dechrau'r 12fed ganrif - cyfnod lle cafwyd cysylltiadau mynych rhwng Cymru ac Iwerddon. Bellach mae ardal 200m o ddiametr o gwmpas man tybiedig y llongddrylliad wedi ei restru dan *Ddeddf Gwarchod Llongau Drylliedig 1973.*

77 *Dibynnai'r ymchwil am dystiolaeth o long ddrylliedig yn drwm ar ddycnwch y tîm plymio (dangosir rhai ohonynt yma yn mynd i mewn i'r dŵr yn ystod ymchwiliad 1992) a'r hyn y gellid ei gyflawni trwy arsylwi uniongyrchol.*

78 *Efallai bod tystiolaeth bellach o gwch Llychlynnaidd dan sêl yma dan y platiau haearn hyn o gragen y llong ager* Rhiwabon *(a ddrylliwyd ar y creigiau hyn ym 1884).*

79 *Yr un a ddarganfu'r ddyrnfol yn paratoi i blymio, gyda'r Smalls yn y cefndir.*

Cwch Casnewydd

Ym 1877, darganfu gweithwyr ran o ochr hen gwch wrth gloddio pwll pren newydd i Ddoc Alexandra, rhwng aberoedd afonydd Wysg ac Ebw yng Nghasnewydd. Yr oedd y darn o estyllwaith derw, a orgyffyrddai yn y dull clincer ac a hoeliwyd â hoelion haearn gwasgedig, wedi ei gadw'n unionsyth gan stanciau derw blaenllym. Yr oedd yr hynafiaethydd Octavius Morgan o'r farn bod y cwch yn rhan o'r llynges Ddanaidd a ymosododd ar y rhan honno o'r wlad yn y canrifoedd cynnar. Seiliwyd ei farn ar y dull adeiladu, ar farn y docfeistr bod 'derw Dantzig' o'r Baltig wedi ei ddefnyddio a chred bod y dyddiad a ddyfalwyd ('tua AD 900') yn cyd-daro â'r cofnodion yn y croniclau. O gymharu â darganfyddiadau diweddar mewn mannau eraill, fodd bynnag, mae bellach yn amlwg mai rhan wedi ei hachub o gorff cwch a ailddefnyddiwyd mewn cynhalfur neu adeiladwaith tebyg ar y lan oedd cwch Casnewydd. Rhydd dyddio radiocarbon ar gyfer yr unig ddarn o'r estyllwaith a oroesodd ddyddiad o *c.* 920-1080. Mae lleoliad y sampl o fewn cylchoedd tyfiant mewnol y goeden yn awgrymu efallai i'r cwch gael ei adeiladu gyhyd â 80 mlynedd wedi dyddiad y sampl.

75 *Y darn o estyllwaith o gorff y cwch a gafwyd yng Nghasnewydd ym 1877. Lled eithaf yr astell 156mm. (Amgueddfa ac Oriel Gelf Casnewydd; NPTMG: 30.54)*

chyfyngu i raddau helaeth i bren cychod a ailddefnyddiwyd fel rhannau o adeiladau ar y glannau a nifer fechan o feddrodau cychod yn yr Alban (fel Scar, Sanday, Ynysoedd Erch) ac ar Ynys Manaw (fel Balladoole).

A barnu oddi wrth y pren llongau dwrlawn a gafwyd yn Nulyn y Llychlynwyr, dylanwadodd crefft y Northmyn ar adeiladwyr llongau yn y tiroedd hynny a gyraeddasant. Adeiladwyd un o longau hirion Skuldelev, y daethpwyd o hyd iddi yn Ffiord Roskilde yn Nenmarc, o dderw o ardal Môr Iwerddon, efallai o goedwigoedd o amgylch Dulyn. Y mae'n sicr i longau tebyg gael eu defnyddio gan y tywysogion Cymreig diweddarach, a sylweddolai bwysigrwydd grym morol. Yn y Cronicl Eingl-Sacsonaidd adroddir hanes ymosodiad yr Iarll Harold ar Ruddlan, pan losgodd lluoedd y Saeson longau a hwyliau Gruffudd ap Llywelyn. Pan lofruddiwyd Gruffudd ym mis Awst 1063, cyflwynwyd ei ben i Harold a ddaeth ag ef i'r Brenin Edward y Cyffeswr 'ynghyd â blaenddelw ei long a'r addurniadau yn ogystal' (yr oedd modd tynnu blaenddelwau llongau yn rhydd).

Yr oedd symudedd yn sicr yn fantais strategol ac economaidd fawr, ac yr oedd rhyddid i weithredu yn dibynnu ar allu morwrol. Mae'r enwau Llychlynnaidd ar bwyntiau mordwyo o amgylch Cymru yn dangos i lwybrau masnachu gael eu hagor yn effeithiol, fel proses barhaus ym maes ymdrechion masnachol.

Masnachwyr

Yr oedd masnach yn bwysig i'r Llychlynwyr, a masnachwyr yn hytrach na môr-ladron oedd llawer o Sgandinafiaid. Byddai llawer hefyd yn ffermwyr rhan-amser ac eraill yn grefftwyr. Ar y cychwyn, nwyddau wedi eu hysbeilio neu eu talu'n deyrnged fyddai'r nwyddau uchel eu gwerth (talwyd symiau enfawr o arian mewn *gafol* o Loegr a'r Cyfandir). Byddai llawer o'r masnachu yn arfordirol a lleol, ar draws pellteroedd bychan. Tyfodd nifer fechan o ganolfannau masnachu fel Ribe yn Nenmarc o fannau cyfarfod tymhorol a ddenai fasnachwyr o bell, a datblygodd rhai ohonynt yn drefi. Erbyn y ddegfed ganrif, ymestynnai'r rhwydwaith masnachol Llychlynnaidd o Wlad yr Iâ i Fôr Caspia, a bu'n gyfrifol am ddod â llawer iawn o arian o'r Dwyrain Canol i Ewrop, yn gyfnewid am ffwr, crwyn, nwyddau traul, brethyn, arfau a chaethweision. Yr oedd masnach yng ngorllewin Prydain yn troi o gwmpas Môr Iwerddon, ac mae'n debyg y byddai'r nwyddau yn cynnwys caethweision, gwenith, nwyddau gwlân, ceffylau, tun, copr ac arian.

Yn ystod rhan olaf y nawfed a hanner cyntaf y ddegfed ganrif, nid oedd yng Nghymru, yr Alban

81 *Weithiau ceir darganfyddiadau ynysig, fel y pwysynnau plwm addurnedig hyn o eiddo masnachwyr a gafwyd ar y traeth yn Freshwater West (isaf) ac ar safle ger Aberdaugleddau (uchaf), y ddau le yn sir Benfro. Isaf: pwysau 238.9g, hyd 54mm. (NMW 30.110H; uchod: NMW 92.12H)*

nac Iwerddon draddodiad o fathu a defnyddio darnau arian. Yn wir, ni fathwyd arian yn Iwerddon hyd *c*. 995. Yn eu tiriogaethau cartref, ni fyddai'r Llychlynwyr yn bathu darnau fel arian treigl, ond defnyddient y metel arian (ac aur

82 *Detholiad o'r pwysynnau plwm o wahanol ffurf a maint a gafwyd yn Llanbedr-goch, Môn. Mae dau â chapan o waith metel 'Ynysaidd' o'r nawfed ganrif wedi ei ailgylchu (mowntin enamel a therfynell efydd oreurog o froetsh ffug-fylchgron o'r nawfed ganrif). Mae nifer ohonynt yn agos o ran pwysau i'r uned sylfaenol o bwysau a gafwyd yn Nulyn Oes y Llychlynwyr (26.6g, sy'n agos i'r owns Rufeinig a Charolingaidd). (NMW 95.5H/96.41H/98.50H)*

83 *Ar ôl c. 925 y cuddiwyd y celc arian y daethpwyd o hyd iddo ar Stryd Fawr Bangor. Credir ei fod yn nodweddiadol Sgandinafaidd o ran cynnwys y darnau, ac efallai iddo gael ei adael yno gan fasnachwr. Mae'n cynnwys dirhemau arian (Kufic) Arabaidd, darnau Eingl-Sacsonaidd a darnau o deyrnas Lychlynnaidd Caerefrog, rhan o freichrwy a darn o ingot arian (y ddau yn hacarian). Mae ail gasgliad, diweddarach, o Fangor yn cynnwys grŵp bychan o ddarnau a adawyd c. 970, hefyd yng nghyffiniau'r fynachlog a sefydlwyd gan Deiniol Sant yn y chweched ganrif. (Casgliad Prifysgol Cymru; Amgueddfa ac Oriel Bangor 790)*

Melle, i'r de-orllewin o Poitiers, yn cyrraedd Iwerddon a Chymru yn uniongyrchol (fel y tystia'r casgliadau o Mullaghbogen, Co. Kildare, Minchin Hole, Gŵyr, a Llanbedr-goch). Yn hanner cyntaf y ddegfed ganrif y gwelwyd penllanw claddu trysorau mawr, a chwbl arfordirol yw'r dosbarthiad o gasgliadau Llychlynnaidd yng Nghymru. Mae'n annhebygol mai ysbail o eglwysi yw'r rhai a gafwyd yng Nghymru, ond yn hytrach arian a fewnforiwyd i Gymru sy'n fesur o weithgarwch Sgandinafaidd (tra mae'n bosibl i rai casgliadau eraill gael eu claddu gan frodorion). Ganol y 1020au y claddwyd y casgliad diweddarach o ddarnau ym Mryn Maelgwyn ger Llandudno a gall mai ysbail Llychlynwyr ydoedd yn hytrach na chynilion lleol. Dywedir bod 'darganfyddiad' ansicr o Ros Fawr, Llandyfrydog, Môn yn cynnwys un o geiniogau arian Edgar (959-75).

Mae'r casgliad o bum breichrwy arian Gwyddelig-Norwyaidd a gafwyd mewn cyflwr dilychwin o chwarel Tan Dinas ar ochr dde-ddwyreiniol Traeth Coch, Môn, a chasgliad Cuerdale (tua 40kg o arian a gladdwyd ar lannau afon Ribble tua 905), ill dau wedi eu cysylltu â digwyddiadau a oedd yn ymwneud â gyrru Ingimund a'i gyd-Lychlynwyr o Ddulyn ac yna o Fôn.

weithiau) i fasnachu naill ai ar ffurf ingotau neu 'hacarian' (addurniadau, tlysau neu ingotau arian wedi eu torri'n ddarnau) i'w cyfnewid yn ôl pwysau, yn ogystal â darnau arian (lawer ohonynt ymhell o leoliadau arferol eu cylchrediad) fel bwliwn. Ceir syniad o'r llif o arian trwy edrych ar gyfansoddiad a lleoliad casgliadau o arian Llychlynnaidd, sydd weithiau'n cynnwys cymysgedd o ddarnau arian a hacarian a gasglwyd trwy ysbeilio, teyrngedau neu drafodion. Mae'r dystiolaeth o golli darnau arian yn awgrymu bod masnach yn datblygu rhwng arfordir Iwerddon a gogledd-orllewin Mersia o chwarter cyntaf yr wythfed ganrif, ac yn ystod y nawfed ganrif awgryma'r patrwm fod darnau Carolingaidd a fathwyd yng ngorllewin Ffrainc, yn arbennig ym

84 *Câi pwysynnau plwm a chloriannau plyg â phadellau
    ynghrog wrth gadwynau eu defnyddio i bwyso
    darnau o arian.*

85 *Mae rhai o'r gwrthrychau arian ac efydd a
    ddarganfuwyd yn Llanbedr-goch, Môn yn
    gysylltiadau clir â'r byd Llychlynnaidd. Mae olion
    torri ar yr ingotau arian a'r darnau hyn o
    freichrwyau o'r ddegfed ganrif sy'n dangos i'r
    breichrwyau gael eu defnyddio fel bwliwn 'hacarian' i
    fasnachu. Lled y breichrwyau 21mm a 22.5mm. Hyd
    yr ingotau 18.4mm, 17.25mm. (NMW
    95.46H/96.41H)*

86 Gall rhai mathau o arteffactau o ffynonellau y
mae modd eu hadnabod awgrymu
rhwydweithiau masnach. Mae dosbarthiad
crochenwaith troell a luniwyd yn Stafford ac
efallai mewn mannau eraill yn rhan ogledd-
orllewinol canolbarth Lloegr yn un cliw o'r
fath. Fe'i gelwir yn 'grochenwaith Caer' ar ôl
yr enghraifft gyntaf i'w hadnabod, sef
cynhwysydd trysor Castle Esplanade a ddyddir
c. 970. Cafodd y llestri hyn eu hadnabod
mewn nifer o safleoedd yng ngorllewin
canolbarth Lloegr amser yn ôl, a bellach mae
ychydig ohonynt wedi eu darganfod yn
Rhuddlan a Llanbedr-goch yng ngogledd
Cymru, Trefynwy, ac yn Nulyn Lychlynnaidd.
Ond gan mor brin ydynt, rhaid mai ychydig
iawn o bobl a ddefnyddiai grochenwaith bryd

hynny, a byddai llestri o bren neu ledr yn gyffredin. (Ar sail mapiau gan P. H. Alebon, Amgueddfa Grosvenor, Caer,
a D. Ford, The Potteries Museum and Art Gallery, Stoke-on-Trent)

Meols

Ar un adeg yr oedd canolfan fasnachu bwysig ym Meols (fel
Milffwrd, o'r Hen Norwyeg *melr*, 'banc tywod') ger aber afon
Dyfrdwy ar Benrhyn Cilgwri. Mae arteffactau fel pinnau cylchog a
gwaith metel Sgandinafaidd ei ddull o'r safle yn arwydd iddo fod â
rhan bwysig ym myd masnach Oes y Llychlynwyr. Mae gwaith
diweddar a wnaed ar borthladdoedd masnachu arfordir Môr
Iwerddon wedi amlygu datblygiad y fasnach hon. Ym Meols,
ymddengys fod gwaith metel o'r seithfed ganrif i'r nawfed yn
cynnwys mwy a mwy o wrthrychau Eingl-Sacsonaidd, a cheir cyfres
dda o ddarnau arian sy'n cynnwys darnau Bysantaidd, sceatas,
stycas, dros bump ar hugain o ddarnau o arian Sacsonaidd hwyr ac
un geiniog Wyddelig-Norwyaidd bosibl. Rhoddodd gwladychiad
Sgandinafaidd yng Nghilgwri oddeutu 905 a sefydlu *burh* brenhinol
yng Nghaer fywyd newydd i Meols fel porthladd masnachu, ac mae'r
amrywiaeth mawr o waith metel ymhlith darganfyddiadau o'r
ddegfed a'r unfed ganrif ar ddeg yn arwydd o gyswllt rheolaidd dros
bellteroedd â masnachwyr o Loegr, rhanbarth Môr Iwerddon a'r tu
draw.

87 Gosodiad-carrai gwarthol, yn
wreiddiol ar gyfer clymu carrai
wrth warthol haearn, o Meols.
Bwystfil hir, main, wedi ei fras-
ysgythru yn y dull Eingl-
Sgandinafaidd Ringerike, gyda
ffrâm petryal ac estyniad ar ei
ben. Uchder tua 55mm.
(Amgueddfa Grosvenor, Caer)

Torri Tir Newydd

Er 1994, bu Amgueddfeydd ac Orielau Cenedlaethol Cymru yn cloddio safle o aneddiadau tra diddorol yn Llanbedr-goch. Mae'r safle hwn wedi datgelu manylion newydd am fywyd yno yn y nawfed a'r ddegfed ganrif, ac mae'n awgrymu i ba raddau y cymhathwyd y Llychlynwyr a'u diwylliant yn rhan o'r gymdeithas Gymreig frodorol.

Ym 1992 adnabuwyd rhai gwrthrychau y daethpwyd o hyd iddynt â chanfyddwyr-metel ar nifer o gaeau ger Traeth Coch. Yr oedd y rhain yn cynnwys ceiniog o eiddo Wulfred o Gaer-gaint (bathwyd 805-32), denierau Carolingaidd Louis Dduwiol (bathwyd 822-40) a Siarl Foel (bathwyd 848-77) a phwysynnau plwm o'r math Llychlynnaidd. Daethpwyd o hyd i un geiniog Eingl-Sacsonaidd o eiddo Cynethryth, gwraig y Brenin Offa (757-96) yn y cyffiniau ym 1989. Bu modd i'r

darganfyddwyr nodi'n fras y mannau darganfod, ond nid oes arwyddion gweladwy o anheddiad ar ffurf ponciau neu bantiau. Y dasg gyntaf oedd penderfynu a ellid dod o hyd i dystiolaeth o gyd-destun gwreiddiol y darganfyddiadau hyn. Ym 1994 cafodd cyfuniad o arolwg geoffisegol a phrawf-gloddio gan dîm o Amgueddfeydd ac Orielau Cenedlaethol Cymru ganlyniadau cyffrous o fewn ychydig ddyddiau.

Dangosodd arolwg magnetometer o'r cae lle darganfuwyd y pwysynnau Llychlynnaidd fodolaeth ffos gladdedig annisgwyl o eglur yn amgáu ardal fawr ar ffurf U ar lethr graddol yn wynebu'r de, yng nghyfeiriad Traeth Coch. Gwnaed peth cloddio a chael bod y ffos wedi ei thorri o graig mewn rhannau ac oddeutu 2m o led ac 1m o ddyfnder; cafwyd amrediad o ddyddiadau

88 *Arolwg geoffisegol o un o'r caeau yn Llanbedr-goch ym 1994. Caiff y magnetometer, sy'n mesur amrywiadau bychan iawn ym maes magnetig y ddaear a achosir gan nodweddion wedi eu claddu, ei gario ar hyd trawsliniadau a chyfwng cyson rhyngddynt o fewn cyfres o gridiau 20m wrth 20m a osodir ar hyd y ddaear. Cofnodir darlleniadau yn awtomatig trwy gyfrwng triger sampl, a'u bwydo i gyfrifiadur.*

89 *Rhoddodd Mr Archie Gillespie (a ddangosir yma) a Mr Peter Corbett wybod yn brydlon am y gwrthrychau y daethpwyd o hyd iddynt ag olrheinwyr metel a hynny a arweiniodd at ddarganfod y safle yn Llanbedr-goch.*

Cadwraeth a Darganfod

Pan ddaethpwyd o hyd iddo gyntaf, yr oedd y mowntin ffrwyn haearn hwn o'r safle yn Llanbedr-goch, yn debyg i ben hoelen fawr, blaen (90a). Datgelodd radiograffeg-X ffurf fwy cymhleth (90b), ac wedi glanhau gofalus mewn labordy datguddiwyd y mowntin Gwyddelig enamel hynod hwn (90c-d). Mae cadwraeth yn rhan annatod o'r ymchwil am dystiolaeth o'r gorffennol.

Llenwir y prif gelloedd ag enamel coch neu felyn gan ffurfio patrwm gris o amgylch croes ganolog gyhydfraich. Mae defnydd o haearn ar gyfer gwaith enamel yn nhraddodiad Celtaidd yr oesoedd canol yn hynod anarferol yn Ewrop yn y cyfnod hwn ac yn brin yn Iwerddon. Byddai clust dyllog wedi ei gosod yng nghanol y cefn i glymu'r gwrthrych gwreiddiol wrth strapen ledr. Cafwyd mowntinau enamel o'r math hwn mewn aloi copr ar Ynys Manaw, yn Iwerddon ac yn Norwy, ac maent gan amlaf yn digwydd mewn claddedigaethau Llychlynnaidd gyda ffitiadau ffrwynau.

90 *Mowntin ffrwyn haearn,*
   Llanbedr-goch.
   Diamedr 24.5mm.
   (NMW 98.50H)

a   *b*   *c*   *d*

91 *Wrth gloddio ffos R2 ym 1998 datguddiwyd wyneb fflagiog ar gyfer adeilad o'r nawfed ganrif (ym mlaen y llun) a*
   ffos y clostir (cefn).

o'r chweched i'r unfed ganrif ar ddeg trwy ddyddio'r siercol yn y llenwadau trwy ddulliau radiocarbon. Cloddiwyd ail ardal o weithgarwch magnetig 'poeth' a gofnodwyd gan yr arolwg o fewn y clostir a dadorchuddiwyd twll-postyn wedi ei dyllu i lwyfan a dorrwyd o graig, a thybiwyd ei fod yn cynrychioli tŷ. Cadarnhaodd profion radiocarbon ar siercol a gafwyd yn y twll-postyn ddyddiad rhwng yr wythfed a'r ddegfed ganrif.

Ers hynny bu pedair prif ardal o gloddio o fewn y clostir, ac mae hanes cymhleth y safle yn dod yn amlwg â chymorth technegau dyddio radiocarbon ac archaeomagnetaidd, ynghyd â dadansoddiad o'r stratigraffeg ac o fathau arbennig o wrthrychau.

92 Theodolit 'gorsaf gyfan' â mesuriad pellter electronaidd yn cael ei ddefnyddio i gofnodi mannau darganfod a manylion ffos.

93 De uchaf; David Stevens, arolygwr a darlunydd y safle yn defnyddio ffrâm luniadu i greu cynllun carreg-wrth-garreg o'r nodweddion y cafwyd hyd iddynt yn ystod tymor 1998.

94 Prosesu darganfyddiadau yn ystod y cloddio ym 1995. Caiff y niferoedd mawr o esgyrn anifeiliaid ac arteffactau eraill eu labelu'n ofalus a'u catalogio.

95 Y goruchwyliwr Mark Lodwick yn cwblhau cofnod o nodwedd yn ffos H (1995), gan ddisgrifio ei siâp, ei faint, ei safle a'r math o lenwad.

92 *Myfyrwyr archaeoleg yn dechrau glanhau wal clostir enfawr a ddarganfuwyd ym 1998.*

Llanbedr-goch: o Fferm yn Ganolfan Fasnach

Yr oedd rhai o atyniadau naturiol y safle yn Llanbedr-goch yn ystod y nawfed a'r ddegfed ganrif yn amlwg mewn cyfnodau cynharach. Fe'i dewiswyd yn ofalus. Mae'n gysgodol, ar godiad tir, ac yn cynnwys cyflenwad o ddŵr croyw. Mae oddeutu 1000m o'r môr, o bobtu llwybr naturiol a ddaw o hafan gysgodol Traeth Coch. Mae'n amlwg bod ffynnon ddŵr croyw ar ffin isaf y clostir yn ganolbwynt gweithgarwch cyn gynhared â'r cyfnod Neolithig (c. 3300 CC); (credir i'r rhan fwyaf o'r siambrau claddu ar yr ynys gael eu hadeiladu yn ystod y cyfnod hwn).

Mae nifer fechan o arteffactau a dyddiadau radiocarbon yn awgrymu gweithgaredd ar y safle rhwng y ganrif gyntaf a'r chweched ganrif OC, ond ni ddaw natur y safle i'r amlwg hyd tua OC 600. Yn ystod y cyfnod hwn, adeiladwyd tai pren yn y traddodiad cymysg o dai crwn a neuaddau petryal, a ffos o'u cwmpas a amgylchynai ryw 10,000m sgŵar o dir. Yn ystod y cyfnod hwn, ymddengys mai ffermio oedd prif weithgarwch trigolion yr anheddiad, ond erbyn y ddegfed ganrif yr oedd wedi datblygu'n anheddiad caerog a chanolfan amlbwrpas. Rywbryd yn ystod y nawfed ganrif, cafodd ffin y clostir ei 'wella' yn system amddiffynnol gyda wal o gerrig sychion rhyw 2.2m o led - yn ddigon llydan i gerdded arni. Mae hwn yn sylweddol fwy nag unrhyw fur arall tebyg y gwyddom amdano ar ynys Môn. Gellid ei ddehongli fel mynegiant o bŵer i gadw darpar ysbeilwyr draw, ac fe'i codwyd tua'r cyfnod pan ddechreuodd y Llychlynwyr ymosod ar Ogledd Cymru. Ymddengys fod yr anheddiad hwn yn fath newydd o safle yng Nghymru'r nawfed a'r ddegfed ganrif.

Bu'r safle yn ei fri o ail hanner y nawfed ganrif i'r ddegfed, pan fyddai'r tu mewn wedi cynnwys tai hir a neuaddau petryal, rhai ar hyd wyneb mewnol

97 Llanbedr-goch o'r awyr. Mae'r ardal a oroleuwyd yn dangos maint y clostir caerog - ardal o ryw 1ha. (Hawlfraint y Goron: y Comisiwn Brenhinol ar Henebion Cymru)

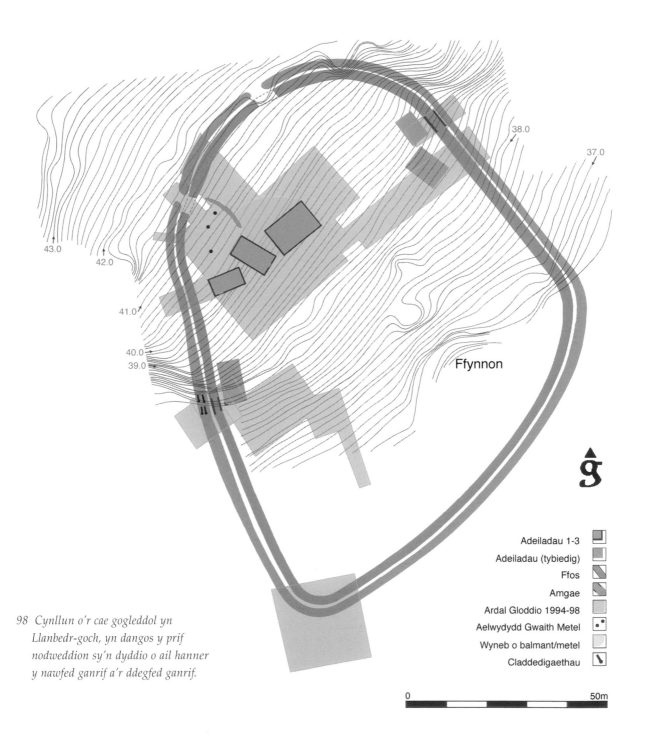

38.0

37.0

43.0

42.0

41.0

40.0
39.0

Ffynnon

98 Cynllun o'r cae gogleddol yn
    Llanbedr-goch, yn dangos y prif
    nodweddion sy'n dyddio o ail hanner
    y nawfed ganrif a'r ddegfed ganrif.

Adeiladau 1-3
Adeiladau (tybiedig)
Ffos
Amgae
Ardal Gloddio 1994-98
Aelwydydd Gwaith Metel
Wyneb o balmant/metel
Claddedigaethau

0   50m

y wal amddiffynnol. Cafwyd tystiolaeth hefyd o gynhyrchu crefftau, fel castio efydd, a gwaith corn a lledr. Mae'n bosib bod y datblygiadau hyn yn gysylltiedig â newidiadau yn ffyniant economaidd yr ardal a chyswllt â rhwydweithiau masnachu'r byd Gwyddelig-Norwyaidd. Mae hyn yn cyd-daro â'r cynnydd mewn bathu arian yng Nghaer a'r cysylltiad cynyddol â Manaw a Dulyn. Nid yw swyddogaeth gwladychwyr a masnachwyr Sgandinafaidd yn rhwydd ei ddirnad, ond mae rhai o'r gwrthrychau a gafwyd o Lanbedr-goch yn dwyn nod digamsyniol yr arddull Gwyddelig-Norwyaidd a oedd yn nodweddiadol o ardal Môr Iwerddon, megis hacarian, pwysynnau masnachwyr, pinnau cylchog a byclau.

Yr oedd tomen sbwriel yng nghornel dde-orllewinol y clostir yn cynnwys llawer o esgyrn anifeiliaid, amrywiaeth o arteffactau a *styca* (ceiniog) aloi-copr o Northumbria o eiddo Archesgob Wigmund (*c.* 848-58).

Bu o leiaf un cam adeiladu olaf yn y clostir, pan godwyd

99 *Mae'r froetsh gain seithfed-ganrif hon o Lanbedr-goch ac arni ben aderyn yn debyg i froetshis Angliaidd o swydd Efrog. Mae'n ein hatgoffa o gyswllt cyn-Lychlynnaidd rhwng Môn a Northumbria. Diamedr allanol 28.5mm. (NMW 98.50H)*

ardilad petryal mawr, gydag aelwyd yn y canol ar ychydig o godiad. Rhydd haenau o'r adeilad hwn, a ddisodlodd Adeilad 1, ddyddiad radiocarbon *c.* 785-1020. Ar ôl y cam anheddu hwn, ymddengys i'r ardal gael ei gadael eto at ddefnydd amaethyddol, ac yn sgil dwyn y cerrig at ddibenion eraill, diflannodd pob tystiolaeth amlwg am yr anheddiad blaenorol.

Mae'r gwaith cloddio ar y safle wedi mwy na dyblu'r cyfanswm o arteffactau sy'n tystio i Oes y Llychlynwyr yng Ngymru. Maent yn datgelu cliwiau am swyddogaeth bob dydd yr anheddiad, megis gwaith lledr (mynawydau ac offer socedog) a chorn carw, natur hanfodol amaethyddol y trigolion (cerrig malu, grawn, esgyrn anifeiliaid) a'u gweithgareddau masnachu (hacarian, pwysynnau). Mae'r darganfyddiadau hyn yn cynnig un ffordd o asesu i ba raddau y cymhathwyd diwylliant

100 *Ardal y domen yng nghornel dde-orllewinol y clostir yn Llanbedr-goch yn cael ei chloddio. Peth cwbl fwriadol oedd pentyrru sbwriel yn y fan hon - roedd yn gymorth i gadw'r tir yn wastad ac i sefydlogi man a dueddai i orlifo â dŵr o dro i dro.*

Datgelu dirgelwch

Ym mis Awst 1998, cafwyd darganfyddiad rhyfeddol ac anodd ei ddehongli yn Llanbedr-goch. Gorweddai ysgerbydau dau unigolyn yn llenwad uchaf ffos a oedd yn union y tu allan i wal y clostir. Yn wahanol i'r arfer Gristnogol, yr oedd y ddau yn gorwedd yn y cyfeiriad gogledd-de yn hytrach na dwyrain-gorllewin. Yr oedd oedolyn ifanc wedi ei gladdu ar ei gefn, a'i goesau wedi plygu rhywfaint, ac ysgerbwd plentyn iau yn ei gwman, yn gorwedd ar ei ochr chwith. Ymddengys i'r ddau farw cyn eu hamser, ac iddynt gael eu claddu yr un pryd dan bentwr amrwd o gerrig yn y man anarferol hwn, yn hytrach nag yn y fynwent leol. A oeddem o'r diwedd wyneb yn wyneb â thystion i Oes y Llychlynwyr ym Môn? Mae mireinio ar y dechneg

102 *Cofnodi claddfa 5 (oedolyn) yn ystod gwaith cloddio 1999.*

101 *Claddfa 1 (oedolyn ifanc) a 2 (plentyn, yng nghornel bellaf y ffos), fel y'u gwelwyd gyntaf ym 1998.*

ddyddio radiocarbon (techneg Cyflymydd Sbectrometreg Mas) erbyn hyn yn ei gwneud yn bosibl dyddio samplau bychain o asgwrn, ac ym mis Tachwedd 1998 cymerwyd sampl yn ofalus o un o esgyrn coes yr ysgerbwd yn ei hyd. Awgrymai'r dechneg ddyddio dra manwl hon bod 95% o debygolrwydd i'r farwolaeth ddigwydd rhwng OC 770-970 (68% o debygolrwydd rhwng 780-890). Rhoddodd siercol a gafwyd o lenwad y ffos o dan yr ysgerbydau ddyddiad radiocarbon o *c.* 620-775, gan ddangos fod y ffos yn siltio yn ystod y ganrif flaenorol.

Dangosodd y gwaith cloddio ym 1999 i dri unigolyn arall o leiaf gael eu claddu gerllaw, a hynny yn ddigon diseremoni. Unwaith eto, gorweddent yn y cyfeiriad gogledd-de yn hytrach na dwyrain-gorllewin. Cafwyd glaslanc neu lances yn llenwad uchaf y ffos, gyda'r pen tua'r de a'r traed tua'r gogledd. Taflwyd oedolyn yn union ar ben y person hwn, a'r pen tua'r gogledd y tro hwn. A barnu wrth ystum anarferol y breichiau, mae'n bosib bod garddyrnau'r oedolyn wedi eu clymu y tu ôl i'w gefn.

Ymddengys fod pob un o'r cyrff wed ei osod mewn bedd bas, gan ddefnyddio mae'n debyg y pant a ffurfiwyd gan y ffos amgáu (sydd bellach wedi siltio). Mae amgylchiadau'r claddu a'r ffaith na chyfeiriwyd y cyrff yn ôl y dull Cristnogol, wedi arwain at ddyfalu mai lladdedigion cyrch gan y Llychlynwyr sydd yma. Mae'n bosibl i'r pump gael eu claddu yr un pryd, ac ymddengys nad oedd unrhyw ymgais i nodi lleoliad y beddau. Mae hyn yn awgrymu nad gan eu perthnasau y cawsant eu claddu - ond pam? Rydym wrthi'n dilyn sawl trywydd i gadarnhau oedran ac achos marwolaeth y bobl hyn, dyddiad tebygol eu marwolaeth, ac a oes modd profi cysylltiad teuluol rhyngddynt. Ai ymosod a wnaed ar y trueniaid hyn? Ac os felly, pwy oedd yr ymosodwyr? Nid y Llychlynwyr oedd unig dreiswyr y cyfnod; dinistriodd y Mersiaid Ddegannwy yn 823 a buont yn ymgyrchu yng

103 Roedd claddfa 3 (oedolyn), 4 (oedolyn ifanc) a 5 (oedolyn) y tu hwnt i'r mur amddiffynnol yn dangos tystiolaeth iddynt gael eu claddu'n ddiseremoni.

ngogledd Cymru am gyfran helaeth o'r nawfed ganrif (y Saeson a laddodd Rhodri Mawr yn 878). Serch hynny, mae lleoliad amlwg Llanbedr-goch yn golygu bod ymosodiad gan y Llychlynwyr a goresgyn y safle ganddynt - boed hynny am gyfnod byr ai peidio - yn bosibilrwydd cryf.

104 Claddfa 3 (735) a 4 (737) wedi ei chloddio ym 1999.

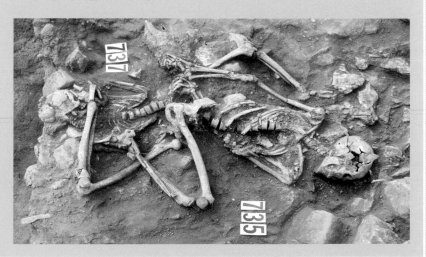

105 *Atgynhyrchiad o'r clostir yn Llanbedr-goch ym mlynyddoedd cynnar y ddegfed ganrif, o'r de. Ymddengys fod y tu mewn yn drefnus, gyda rhaniadau sydd â rhychau rhyngddynt, ond nid yw'r cynllun cyfan yn hysbys eto. Mae'r wal amgáu enfawr yn Llanbedr-goch yn arwydd o gyfoeth y perchennog ac efallai iddi gael ei chodi yn nyddiau Rhodri Mawr (844-78) neu ei feibion, fel ymateb i fygythiad y Llychlynwyr.*

106 *Torrwyd y ffos amgáu yn Llanbedr-goch i ddechrau yn y seithfed ganrif, os nad ynghynt, a'i haildorri yn yr wythfed neu'r nawfed ganrif.*

Sgandinafaidd â chymdeithas gogledd Cymru. Awgrymant hefyd i'r safle ddenu crefftwyr a masnachwyr fel elfen o weithgarwch economaidd a gwleidyddol Llychlynnaidd ('Gwyddelig-Norwyaidd') yn ardal Môr Iwerddon.

Posibilrwydd cyrchoedd gan y Llychlynwyr, a'r rheini'n meddiannu'r safle am gyfnod.

Cam 3. Cymhathu'r Sgandinafiaid a'r Cymry brodorol; o bosibl byddai'r Northmyn hyd yn oed wedi ymgartrefu.

Ymddengys fod yr anheddiad yn fath newydd o safle o safbwynt Cymru'r nawfed a'r ddegfed ganrif, sef canolfan gaerog, aml-bwrpas ar dir isel. Efallai ei fod yn awgrymu sawl cam yn y cyswllt â'r Llychlynwyr:

Erys llawer o gwestiynau am y safle, er enghraifft:
Tybed a oedd yma gasglu tollau a threthi?
Pwy gladdodd y cyrff yn y ffos, a pham?
Os oedd y safle ym meddiant y Llychlynwyr am gyfnod, yna am ba hyd?
Pa mor ddwys oedd y boblogaeth yn y clostir yn y cyfnod hwn?
Sut oedd y safle'n gweithredu yn ystod y weinyddiaeth a ragflaenodd system weinyddol yr unfed ganrif ar ddeg yng ngogledd Cymru?
Pam na ddatblygodd y safle yn y ddeuddegfed ganrif?
Ble mae olynydd y safle hwn?

Cam 1. Adeiladu muriau caerog newydd mewn anheddiad arfordirol isel oherwydd bygythiad Llychlynwyr gelyniaethus yn ystod y nawfed ganrif.

Cam 2. Datblygu potensial y safle fel safle masnachu a chanolfan amlbwrpas yn ystod rhan olaf y nawfed ganrif a dechrau'r ddegfed wrth i fasnach ar y môr ddatblygu.

Tŷ a Chartref

Mae adnabod ffurfiau penodol Sgandinafaidd ar adeiladwaith yng nghefn gwlad Prydain yn anodd, a thybiwyd bod llawer o ffermydd Oes y Llychlynwyr yn gorwedd islaw adeiladau fferm mwy diweddar. Mewn rhai ardaloedd, cysylltwyd neuaddau ac iddynt ochrau bwaog â phresenoldeb y Llychlynwyr, ond gallai rhai o'r rhain fod wedi eu hadeiladu gan dirfeddianwyr brodorol dan ddylanwad dulliau adeiladu Sgandinafaidd. Yn Ribblehead yn y Pennines yng ngogledd swydd Efrog nid oedd yr unig ddarganfyddiadau a gafwyd yn gysylltiedig â neuaddau cerrig ac adeiladau allanol o amgylch buarth yn rhai nodweddiadol Sgandinafaidd. Maent yn cynnwys dwy gyllell unfiniog, pen gwaywffon a phedair ceiniog (styca) o Northumbria. Awgryma'r rhain ddyddiad meddiannu yn niwedd y nawfed ganrif, ond nid yw'n amhosibl bod y neuadd yn rhan o fferm frodorol a godwyd gan Eingl-Sacsoniaid yn hytrach na Llychlynwyr.

Yng Nghymru, mae'r broblem o adnabod dylanwad diwylliannol neu ethnig ar adeiladau yn arbennig o anodd, gan mai ychydig dystiolaeth a gafwyd o adeiladau neu 'aneddiadau'o unrhyw fath y gellir eu dyddio i rhwng y nawfed a'r unfed ganrif ar ddeg. Cafwyd rhyw syniad o ymddangosiad posibl rhai adeilweithiau trwy astudio darganfyddiadau yn Iwerddon, ar Ynys Manaw ac yng ngogledd Lloegr. Daethpwyd ar draws olion adeiladau pren niferus o'r ddegfed ganrif i'r ddeuddegfed yn ystod gwaith cloddio yn Nulyn y Llychlynwyr, wedi eu cywasgu'n ddwys mewn ardal o strydoedd. Yr oedd gan y mwyafrif waliau isel pawl a phlethwaith o bren collen, onnen neu lwyfen, wedi eu plastro â chlai, o amgylch llawr. Er bod cynllun y tai yn amrywio (mae pum math gwahanol), yr oedd pob un yn hirsgwar neu sgwâr, a'r mwyafrif fel petaent yn dalcennog (pennau'r toi ar oleddf) yn hytrach nag â tho talcen (lle bydd crib y to yn ymestyn hyd frig pigfain y wal ar y pen), ac yr oedd gan bron bob un do gwellt. Câi'r rhan fwyaf o bwysau'r to ei gynnal gan byst mewnol, ac yr oedd gan y drysau drothwy pren gyda chilbyst derw ar y naill ochr a'r llall. Yr oedd gan y tŷ 'tref' nodweddiadol yn Nulyn ale ganolog lydan, gyda mainc ar godiad neu ardal gysgu ar bob ochr, a byddai'r drws fel rheol yn un o'r waliau ar y pen. Fel rheol, byddai'r lle tân, lle cafwyd un, yn un petryal ag ymylon o garreg, yng nghanol yr adeilad.

107 Yr oedd y gwrthrychau a ddarganfuwyd yn y pridd du a orchuddiai lawr suddedig Adeilad 3, Llanbedr-goch yn cynnwys y bwcl efydd cain hwn yn null y ddegfed ganrif. Hyd 74.9mm. (NMW 95.46H)

Gwyddys am sawl math o dŷ tref o Loegr. Yn aml, byddai gan neuaddau o bren, ar 'lefel y tir' neu' â lloriau 'suddedig', byst mewnol a greai dair ale, ac amrywient o ran maint o 4-5m o led a rhwng 6-10m o hyd. Mae'r adeiladau pawl a phlethwaith yng Nghaerefrog Eingl-Sgandinafaidd yn debyg i'r rhai a gafwyd mewn ardaloedd Sacsonaidd, a gall mai'r deunyddiau crai a oedd ar gael a gwahaniaethau rhanbarthol yn hytrach na diwylliannol a barai amrywiadau o'r fath.

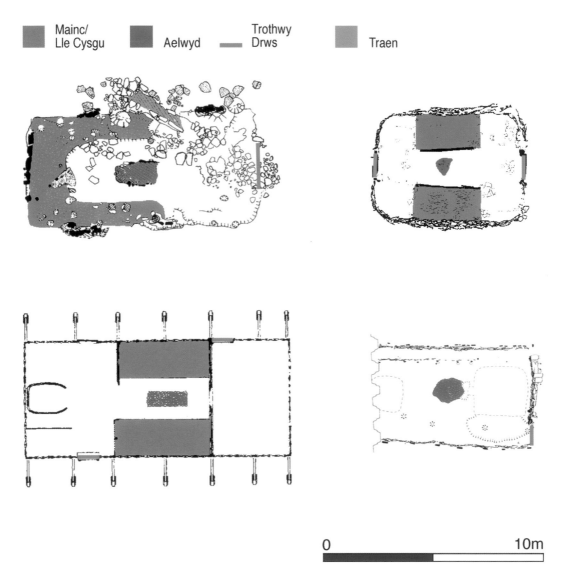

0   10m

108 Cynlluniau tai Oes y Llychlynwyr (gyda'r cloc o'r chwith uchaf): Adeilad 1, Llanbedr-goch, Môn; Dulyn y Llychlynwyr; Caerefrog Eingl-Sgandinafaidd; Hedeby Sgandinafaidd, ar ffin ddeheuol y deyrnas Ddanaidd.

Yn ystod y cyfnod hwn, ymddengys y defnyddid adeiladwaith 'trawst-linter' i gynnal waliau, a gwelwyd enghreifftiau yng nghanolfannau trefol Caerefrog, Llundain a Chaer, yn ogystal ag ar safleoedd gwledig. Defnyddiwyd y dull adeiladu hwn i godi o leiaf dri o'r adeiladau o'r ddegfed ganrif a ddarganfuwyd hyd yma yn Llanbedr-goch.

Tŷ hir oedd Adeilad 1, tua 11m o hyd, ac ynddo un ystafell lle byddai'r holl deulu yn cysgu a bwyta, gweithio a chroesawu cyfeillion. Byddai'r teulu a'u gwahoddedigion yn eistedd ar feinciau isel syml neu lwyfannau pren, a wneid weithiau o fangorwaith, a gynrychiolir bellach gan ardaloedd o briddglai naturiol ar godiad ar hyd y waliau o

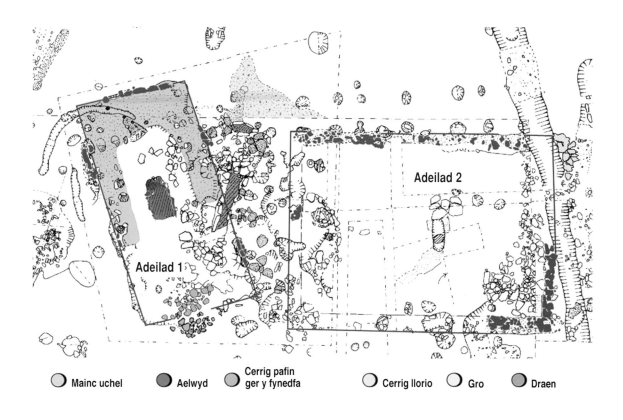

Adeilad 2

Adeilad 1

○ Mainc uchel   ● Aelwyd   ○ Cerrig pafin ger y fynedfa   ○ Cerrig llorio   ○ Gro   ● Draen

109 Cynllun amlgyfnod o ran o'r safle yn Llanbedr-goch, yn dangos manylion Adeiladau 1-2.

amgylch tair ochr i aelwyd. O gwmpas y lle tân ar yr aelwyd, a fyddai'n ganolog i'r adeilad ac i fywyd y teulu, yr oedd cerrig ymyl wedi eu gosod yn ofalus ar ffurf petryal, a dangosai olion hir ddefnydd. Bellach manylwyd ar y dyddiadau radiocarbon a gafwyd o ludw'r aelwyd a gwaddodion cysylltiedig (*c*. 780-980) trwy ddyddio'r clai llosg yn archaeomagnetig. Cafwyd iddo gael ei ddefnyddio ddiwethaf rhwng *c*. 890-970. Yr oedd fflagiau ar lawr hanner deheuol yr adeilad, a chedwid tu mewn yr adeilad yn sych gan draen wedi ei ymylu â cherrig. Ymddengys fod lle byw yn un pen i'r tŷ, ond ni chafwyd tystiolaeth o gorau anifeiliaid, na gaeafu gwartheg neu dda byw eraill yn y pen arall. Yr oedd llawr y pen byw yn 'lân', hynny yw, nid oedd fawr o olion biswail na

110 Adeilad 1 yn Llanbedr-goch. Gellir gweld yr wyneb palmantog ym mlaen y llun.

111 Basn neu gafn o dywodfaen, ar gyfer dal dŵr mae'n debyg. Yr oedd un hanner wedi ei ymgorffori yn llawr Adeilad 1, Llanbedr-goch, yn hanner cyntaf y ddegfed ganrif mae'n debyg. Hyd tua 560mm. (NMW 96.41H/98.50H)

Coginio

Câi bwyd ei goginio dros aelwyd ganolog, gan ddefnyddio naill ai grochan yn crogi wrth gadwyn i ferwi cawl, neu fêr rhostio a ffyrc hirgoes ac weithiau badelli coginio. Mae bachau a phwysau lein neu rwyd o aneddiadau o Oes y Llychlynwyr yn dangos pwysigrwydd pysgota mewn dŵr croyw neu heli. Byddai cig a physgod yn cael eu sychu neu eu halltu i'w cadw dros fisoedd y gaeaf. Câi bwyd ei weini mewn powlenni neu ar blatiau pren, a'i fwyta â'r bysedd neu â chymorth cyllell bersonol. Ceir yng Nghanu Heledd ddarlun o'r rhan ganolog oedd i'r aelwyd yn y rhan fwyaf o gymunedau bryd hynny. Mae Heledd yn galaru ar ôl ei brawd, Cynddylan, arglwydd Pengwern (Amwythig), a laddwyd gan y Saeson ac y chwalwyd ei gartref:

'Ystafell Gynddylan ys tywyll heno
Heb dân, heb wely;
Wylaf wers, tawaf wedy.'
(Anhysbys, 9fed ganrif).

112 Yr aelwyd yn Adeilad 1, Llanbedr-goch, yn cael ei samplo er mwyn ei dyddio'n archaeomagnetig. Manylwyd yn sgil hyn ar y dyddiadau radiocarbon bras a chael y cyfnod c. 890-970.

113 Bachyn crogi o aloi-copr o grochan o lenfetel, a theilch-rimyn jar neu badell goginio o'r ddegfed ganrif, darn o grochenwaith Caer gyda'i wyneb wedi ei dduo gan huddygl, sy'n awgrymu efallai iddo gael ei roi ym marwydos yr aelwyd. Y ddau o Llanbedr-goch, Môn.
(Chwith: NMW 95.46H. De: NMW 98.50H)

114 Amrywiai'r deiet o fan i fan,
gan ddibynnu ar ba fath o fwyd
oedd ar gael. Mewn rhai
mannau, megis Ynysoedd y
Ffaro, byddid yn pysgota, yn
hela morfilod ac adar am fwyd,
ac mewn ardaloedd eraill yr
oedd magu gwartheg, defaid,
moch a geifr yn bwysig
(cynnyrch llaeth, cig a
deunyddiau crai), tra bod hela
yn gyffredin. Gwastraff prydau
bwyd oedd y rhan fwyaf o'r
esgyrn anifeiliaid a gafwyd yn
Llanbedr-goch, ac yn bennaf
rhywogaethau dof fel gwartheg.
Adnabuwyd esgyrn côn hefyd.

115 Câi cerrig malu tro eu defnyddio i falu
ŷd i gael blawd bras i wneud bara.
Carreg leol a ddefnyddiwyd i wneud yr
enghreifftiau hyn o Lanbedr-goch
(diamedr yr enghraifft gyfan - 423mm).
Gwelwyd y cyfuniad o ddefnydd âr a
bugeiliol o'r tir hefyd yn y dadansoddiad
o ronynnau paill o samplau a gymerwyd
yn ystod gwaith cloddio yn Rhuddlan.
(NMW 95.46H)

sbwriel organig o unrhyw fath, dim ond lludw a
siercol o'r tân. Yr oedd yr adeilad gerllaw, Adeilad
2, hefyd yn un petryal, gyda llawr suddedig, ac yn
12m o hyd. Yr oedd ei waliau yn defnyddio'r
dechneg gwely sylfaen a welwyd mewn mannau
eraill: gwely o rwbel cerrig wedi ei osod o fewn ffos
sylfaen fas i gynnal trawst-linter pren. Mae
samplau siercol a gafwyd o'r pridd uwchben y
llawr suddedig wedi rhoi amrediad o ddyddiadau
radiocarbon o c. 855-1000.

Pwy gododd yr adeiladau hyn? Mae cynllun yr
adeiladau yn debyg mewn rhai ffyrdd i adeiladau
cyfoed mewn ardaloedd Sgandinafaidd ac Eingl-

Sacsonaidd: er enghraifft, tybiwyd bod meinciau
isel yn un o nodweddion adeiladau Sgandinafaidd.
Er hynny, mae gwahaniaethau hanfodol yn lleoliad
y drysau a chynhalbyst mewnol y to a allai fod yn
elfennau o draddodiad adeiladu lleol a addaswyd
at ofynion yr adnoddau a'r amgylchedd. Yn niffyg
mwy o wybodaeth am draddodiadau adeiladu
Cymreig yn y cyfnod hwn, ni ellir honni eto ei fod
yn cynrychioli math brodorol o adeilad, ond nid
yw'n annhebygol i nodweddion newydd gael eu
mabwysiadu gan y boblogaeth frodorol wrth
addasu i amgylchiadau lleol.

116 Gwledd o bysgod cregyn o lannau Môn, a gafwyd
yn llenwad ffos o'r unfed ganrif ar ddeg yn
Llanbedr-goch. Byddai cocos a gwichiaid fel y
rhain yn ychwanegiad pwysig at y diet, gan eu bod
yn ffynhonnell gyfoethog leol o brotein, halwynau
mwynol a fitaminau. Byddent yn ddefnyddiol
hefyd fel abwyd wrth bysgota.

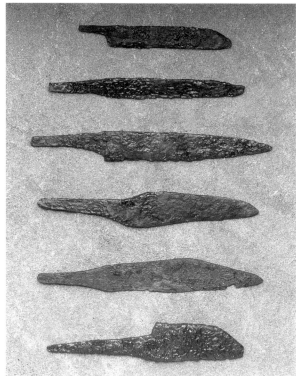

117 Grawn barlys wedi eu carboneiddio (rhyw.
Hordeum) a gafwyd o aelwyd Adeilad 1, Llanbedr-
goch. Ynghyd â barlys, roedd gwenith a cheirch
ymhlith cnydau cynhenid pwysicaf 'Môn mam
Cymru'. Roedd y Llychlynwyr yn ffermwyr hefyd
a chanddynt brofiad o dyfu cnydau grawn fel
barlys, rhyg a cheirch, a llysiau fel pys, ffa, bresych
a gwreiddlysiau. Roedd ffrwythau fel afalau,
mwyar gwylltion ac eirin hefyd yn bwysig.

118 Detholiad o lafnau cyllyll haearn â chefnau-ongl a
syth o Lanbedr-goch. Yn wreiddiol byddai'r
colseidiau cul wedi eu gosod mewn carnau o bren
neu asgwrn. Hydoedd o 74.5mm – 110.6mm.
(NMW 95.46H/96.41H/98.50H)

Hinsawdd
Weithiau gelwir y cyfnod o tua 700 i 1300 yn
Gyfnod Cynnes Canoloesol 'Yr Optimwm Bychan',
pan gododd tymheredd blynyddol yr haf ychydig
raddau.

Gwisg

Daw gwybodaeth am wisg y Llychlynwyr o ddelweddau cyfoes (sy'n aml yn ffurfiol ac yn brin o fanylion) a gafwyd ar amrywiaeth o wrthrychau, o gyfeiriadau llenyddol (y rhan fwyaf yn ddiweddar) ac o dystiolaeth archaeolegol o ddillad a thlysau (a geir weithiau mewn beddrodau). Tiwnig fyddai'r wisg sylfaenol i ddynion, gwragedd a phlant, a byddai tiwnig y gwragedd yn cyrraedd hyd y ffêr. Gwisgai'r dynion drowser a chrys o wlân, gyda broetsh neu bin i gau clogyn o wlân, croen dafad neu ffwr. Efallai y byddai'r gwragedd yn gwisgo barclod dros eu tiwnig. Weithiau byddai clogynnau a thiwnigau'n cael eu llifo a'u hymylon yn cael eu haddurno â brêd a wnaed ar wŷdd tabled. Y froetsh oedd y ffasnydd mwyaf cyffredin ar ddillad. Yn ystod y nawfed a'r ddegfed ganrif gwisgai gwragedd froetshis i gau strapiau ysgwydd ffrogiau. Yn Sgandinafia yr oedd y froetsh hirgron

119   Gleiniau gwydr o Lanbedr-goch, Môn. Cafwyd gleiniau o lawer gwahanol ffurf a llun ar safleoedd o Oes y Llychlynwyr. Hyd y glain melon melyn 24.5mm. (NMW 95.5H/95.46H/98.51H)

120   Gwisg Lychlynnaidd yn y ddegfed ganrif. Mae'r wraig, yn ei thlysau gorau, yn gorffen ei gwaith nyddu a'r masnachwr wrthi'n pwyso arian ar glorian gludadwy.

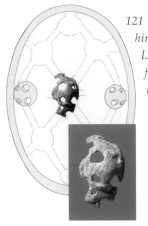

121 Bwlyn o rwyllwaith oddi ar froetsh hirgron Sgandinafaidd o efydd eurog; o Lanbedr-goch, Môn. Mae'n debyg ei fod yn rhan o gragen allanol o rwyllwaith a orchuddiai gragen hirgron blaen a phin bachu. Dyma un o'r mathau mwyaf nodweddiadol o'r tlysau Llychlynnaidd a wisgid gan fenywod, ac mae'n arwydd pwysig o bresenoldeb y Llychlynwyr (er efallai y gellid egluro ei bresenoldeb mewn ffyrdd eraill). Y ddegfed ganrif yn ôl pob tebyg. (NMW 95.5H)

122 Pin cylchog a gafwyd ar flaen-draeth aber afon Hafren ger Portskewett, sir Fynwy. Diwedd y nawfed i ganol y ddegfed ganrif. Hyd 154.5mm. (Amgueddfa ac Oriel Gelf Casnewydd; NPTMG 92.16)

gromennog yn boblogaidd. Byddai wedi ei chastio mewn efydd a'i haddurno ag anifeiliaid mewn arddull arbennig, ac yn aml â bwlynnau neu wifren arian. Buan y cafodd pinnau neu froetshis Prydain ac Iwerddon eu mabwysiadu gan y Llychlynwyr ar gyfer cau clogynnau a chaent eu gwisgo naill ai ar yr ysgwydd dde neu'n ganolog. Bu datblygu hefyd ar y pinnau cylchog cyn-Lychlynnaidd a gafwyd o amgylch Môr Iwerddon, a gâi eu dal yn eu lle â chordyn a glymid i'r cylch ac yna i'r paladr wedi iddo fynd trwy'r brethyn. Byddai gleiniau, gan amlaf o wefr neu wydr, naill ai'n cael eu gosod ar linyn a'u crogi rhwng dwy froetsh hirgron neu'n cael eu gwisgo fel mwclis. Gwisgid breichrwyau a wnaed o arian a ailgylchwyd, ac a addurnid yn aml ag amrywiaeth o batrymau wedi eu tyllu. Roeddent yn addurn i'r corff ac yn arwydd o fri. Yn aml câi cribau, offer ymolchi ac allweddi eu crogi wrth wregys.

124 Pinnau cylchog o aloi copr o Lanbedr-goch, Môn. Degfed ganrif. Hyd y paladr cyfan (wedi ei blygu) 143.2mm. (NMW 96.41H)

123 Broetsh fylchgron anghyflawn o aloi copr - y 'math-pêl' â therfynellau plaen, o Culver Hole, Llangynydd, ar Benrhyn Gŵyr. Yn Norwy (ac mae'n bosibl i lawer gael eu gwneud yno) ac ardaloedd lle y gwladychodd Northmyn yn y Gorllewin y cafwyd y mwyafrif o froetshis o'r math hwn. Hanner cyntaf y ddegfed ganrif mae'n debyg, ac o'r math Llychlynnaidd/Gwyddelig. Diamedr allanol 88mm. (NMW 31.118/2)

Prosesau Crefft

Yr oedd y Llychlynwyr yn grefftwyr medrus yn ogystal ag yn ffermwyr, mordwywyr a masnachwyr. Denai trefi fel Dulyn ac Efrog grefftwyr o amryfal fathau ac yn y canolfannau marchnad gwneid gwaith cynhyrchu a masnachu, Ymddengys fod Llanbedr-goch yn ganolbwynt i amryw o weithgareddau crefft yn y ddegfed ganrif, oherwydd yr oedd marchnad barod i'r cynnyrch yn lleol ac ymhlith y masnachwyr a foriai hyd Fôr Iwerddon.

125 Câi esgyrn mamaliaid ac weithiau ifori morfilod a walrysod eu defnyddio i wneud amrywiaeth eang o wrthrychau. Gellid casglu cyrn ceirw a gawsai eu bwrw a'u torri i wneud rhannau o gribau a chasys cribau. Fel rheol câi blaenau'r pigau a gwrym yr aeliau, fel y toriadau hyn o Adeilad 2, Llanbedr-goch, eu taflu ymaith. (NMW 95.46H)

126 Mae pen bar o haearn wedi ei led-ofannu (blaen y llun), ynghyd â darnau eraill o wastraff gof, yn datgelu presenoldeb efail a fyddai'n cynhyrchu offer anhepgor i fywyd bob dydd. Mae'r offer hyn yn cynnwys darn o lif, pen morthwyl (hyd 86mm) a chynion socedog a cholseidiog. Llanbedr-goch, Môn. (NMW 96.41H/98.50H)

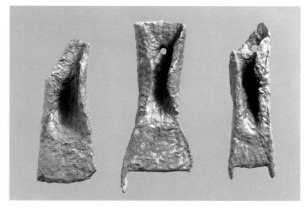

127 Datgloddiwyd offer danheddog a socedog cysylltiedig â gwaith lledr o Lanbedr-goch, Môn. Mae offer tebyg yn hysbys o nifer o safleoedd cynnar canoloesol yn Iwerddon a Lloegr, gan gynnwys Dulyn, Whithorn a Chaerefrog. Gellid troi crwyn yn esgidiau, gweiniau, pyrsiau, gwregysau, strapiau a harneisiau. Hyd yr erfyn danheddog socedog mwyaf cyflawn 56.9mm. (NMW 98.50H)

128 *Chwerfannau gwerthyd o asgwrn a phlwm o Lanbedr-goch sy'n dangos bod edafedd wedi ei nyddu ar y safle. Mae ychydig o bwysynnau gwyddion yn dangos y byddai gwyddion unionsyth wedi eu defnyddio i gynhyrchu brethyn. Gellid allforio nwyddau fel clogynnau gwlân, ond efallai mai gwehyddu ar gyfer y farchnad gartref a ddigwyddai yn Llanbedr-goch ar y cyfan. Byddai'r pin haearn o Lanbedr-goch wedi ei ddefnyddio i bwytho, a'r llyfnwr lliain gwydr neu'r 'garreg lyfnu' o Ruddlan (chwith) i roi sglein wrth orffen brethyn (lliain neu frethyn main fel rheol) neu i smwddio dillad ar ôl eu golchi (diameter 77mm). Degfed ganrif. (NMW 95.46H, 98.50H)*

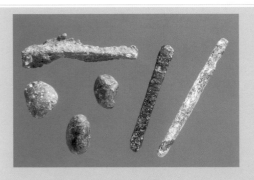

129 *Cafwyd enghreifftiau o gastio arian ac efydd ym mhob marchnad Sgandinafaidd. Gallai'r dafnau hyn o arian ac aloi copr a'r sbriw gwastraff o aloi copr (oll o Lanbedr-goch, Môn) fod yn olion castio gemwaith ac addurniadau a fàsgynhyrchid. Yn yr ingot bychan o aloi copr gellir gweld marciau bychain lle cafodd ei daro â morthwyl bychan. (NMW 98.50H/98.51H)*

131 *Mae'n bosibl y byddai breichrwyau bylchgrwn, a oedd ymhlith cynhyrchion pwysig gofaint arian Dulyn, wedi eu gwneud ym Môn hefyd.*

130 *Darn prawf o blwm (anghyflawn) ag addurn stampiedig, a ffurf breichrwy band llydan o'r math Gwyddelig-Norwyaidd, o Lanbedr-goch. Lled mwyaf 21.8mm. (NMW 98.51H)*

Y Gof Cleddyfau

Comisiynwyd y Meistr-of Cleddyfau, Frank Craddock gan yr Amgueddfa ym 1994 i ail-greu fel arbrawf y broses o weithio llafn cleddyf Llychlynnaidd wedi'i batrwm-asio, a chynhyrchu dyrnfol addurniedig, yn seiliedig ar yr un a gafwyd ar Greigres y Smalls, oddi ar arfordir sir Benfro. Mae'r sagâu'n cyfeirio at lafnau disglair â phatrymau'n sefyll allan neu'n glir o'r wyneb; byddai llafn o'r fath yn eiddo tra gwerthfawr; yn ôl ewyllys Sacsonaidd o'r ddegfed ganrif, yr oedd un cleddyf arbennig yn werth 15 caethwas gwryw neu 120 ychen.

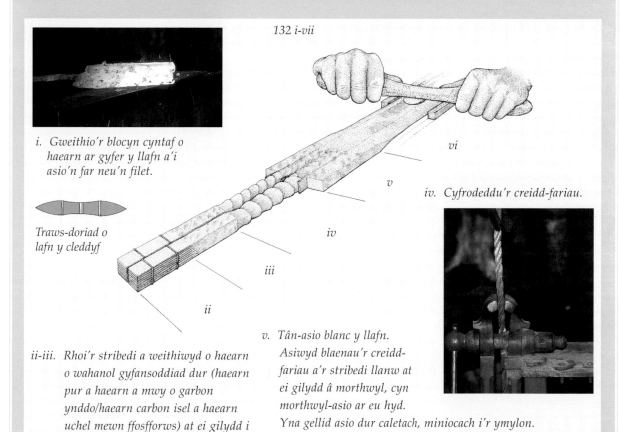

132 i-vii

i. *Gweithio'r blocyn cyntaf o haearn ar gyfer y llafn a'i asio'n far neu'n filet.*

Traws-doriad o lafn y cleddyf

ii

iii

iv

v

vi

iv. *Cyfrodeddu'r creidd-fariau.*

ii-iii. *Rhoi'r stribedi a weithiwyd o haearn o wahanol gyfansoddiad dur (haearn pur a haearn a mwy o garbon ynddo/haearn carbon isel a haearn uchel mewn ffosfforws) at ei gilydd i ffurfio craidd.*

v. *Tân-asio blanc y llafn. Asiwyd blaenau'r creidd-fariau a'r stribedi llanw at ei gilydd â morthwyl, cyn morthwyl-asio ar eu hyd. Yna gellid asio dur caletach, miniocach i'r ymylon.*

vi. *Ffurfio a gorffen y llafn. Ar ôl bras-drin â sgrafellwyr, carreg a ffeil, câi'r rhych i lawr y canol ei ffurfio gan ddefnyddio fflewyn o ddur wedi ei osod mewn darn o bren. Yr oedd y rhych yn ysgafnhau'r llafn ac yn ei wneud yn fwy hyblyg.*

vii. *Yn olaf, câi un o dri dull o orffen ei ddefnyddio i amlygu patrwm y llafn. Defnyddid asid organig gwan i ysgythru'r wyneb, ac weithiau câi ei frwsio â phluen i sicrhau gorffeniad gwastad.*

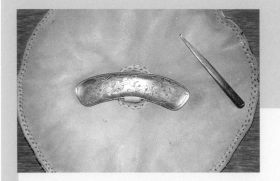

viii. Castio'r ddyrnfol. Câi craidd o glai ei drochi mewn cŵyr, a gâi ei lyfnhau amdano. Yna câi hwn ei amgáu â chlai, a châi'r mowld o glai, wedi iddo sychu, ei dwymo i doddi'r cŵyr ohono a gadael ceudod. Yna câi hwn ei lenwi ag efydd tawdd.

ix Ar ôl ffeilio'r cast bras, gellid nodi'r cynllun arno a'i dorri ag engrafwyr a chynion bychain. Câi'r ddyrnfol ei dal yn ei lle â strapen ynghlwm wrth droed y crefftwr, yn erbyn cwdyn lledr arbennig llawn tywod.

x. Ar ôl mewnosod y wifren arian, gellid gosod y niello du (copr sylffid); yna câi unrhyw ddarnau dros ben eu ffeilio'n barod ar gyfer caboli'r ddyrnfol (Ffotograffau i-x gan F. Craddock).

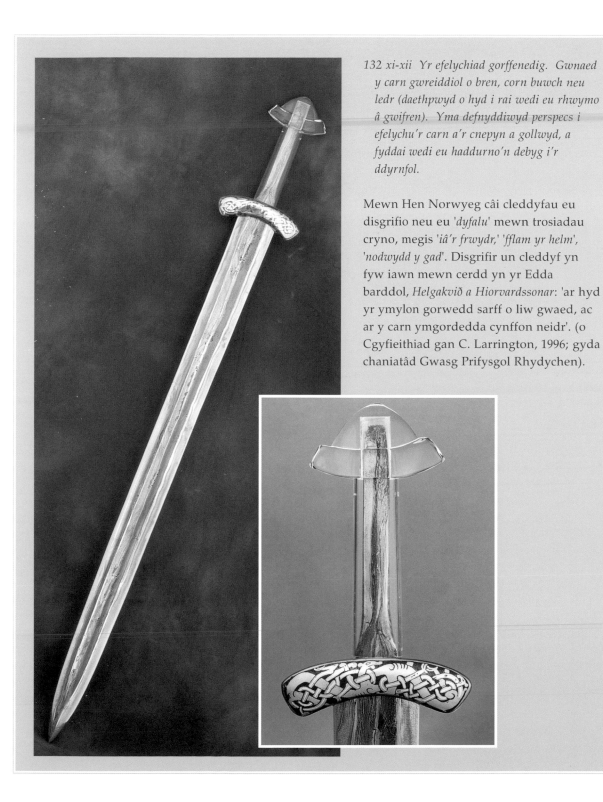

132 *xi-xii* Yr efelychiad gorffenedig. Gwnaed y carn gwreiddiol o bren, corn buwch neu ledr (daethpwyd o hyd i rai wedi eu rhwymo â gwifren). Yma defnyddiwyd perspecs i efelychu'r carn a'r cnepyn a gollwyd, a fyddai wedi eu haddurno'n debyg i'r ddyrnfol.

Mewn Hen Norwyeg câi cleddyfau eu disgrifio neu eu 'dyfalu' mewn trosiadau cryno, megis 'iâ'r frwydr,' 'fflam yr helm', 'nodwydd y gad'. Disgrifir un cleddyf yn fyw iawn mewn cerdd yn yr Edda barddol, *Helgakvið a Hiorvardssonar*: 'ar hyd yr ymylon gorwedd sarff o liw gwaed, ac ar y carn ymgordedda cynffon neidr'. (o Cgyfieithiad gan C. Larrington, 1996; gyda chaniatâd Gwasg Prifysgol Rhydychen).

Ardull Addurniadol y Llychlynwyr

Addurn, yn aml, yw'r allwedd i adnabod cysylltiadau neu darddiad diwylliannol y gwneuthurwr neu'r noddwr. Gwelir olion chwaeth a dylanwadau celfyddydol Sgandinafaidd yn Ynysoedd Prydain ar amrywiaeth eang o wrthrychau, ac mae llawer yn cynnwys cynlluniau anifeiliaid sy'n dod o'r cyfnod yn dilyn yr ymosodiadau a'r gwladychiad Llychlynnaidd cyntaf. Nifer fechan o'r gwrthrychau hyn a ddaw o Gymru, ond adlewyrchant yr un ffasiwn neu chwaeth o amgylch Môr Iwerddon. Gwelir hefyd beth dylanwad ar gerflunwaith yng Nghymru yn ystod y cyfnod hwn.

Ffynnai'r arddull gelfyddydol Lychlynnaidd gyntaf i'w chyflwyno i Brydain, sef dull *Borre* (a enwyd ar ôl y gwrthrychau a gafwyd yn y gladdedigaeth-long yn Borre, Vestfold, Norwy), yn Sgandinafia yn ystod chwarter olaf y nawfed ganrif a llawer o'r ddegfed. Dau fotiff yn yr arddull hwn a welir yn weddol gyffredin yng Nghymru a Lloegr yw'r hyn a elwir yn rhyngles 'cadwyn-gylch' ac, yn seiliedig arno, batrwm cwlwm. Gwelir y motiff cadwyn-gylch yn null Borre ar gerflunwaith carreg ar Ynys Manaw ac yng ngogledd-orllewin Lloegr a gogledd-orllewin Cymru. Mae addurniadau yn null Borre yn gyffredin yn Lloegr, ond ychydig o dystiolaeth sydd hyd y gwyddom i'r dull gael ei fabwysiadu yn Iwerddon. Digwydd ar ffurf ddeilliadol ar waith coed ac ychydig ddarnau o waith metel.

Mae presenoldeb y dull addurnol Sgandinafaidd hwn ar beth caregwaith yn arwydd o uno'r dylanwadau 'Ynysaidd' a Sgandinafaidd o amgylch Môr Iwerddon, ac o gysylltiadau rhyngddiwylliannol llawer o grefftwyr. Mae hefyd yn dystiolaeth o chwaeth Sgandinafaidd (er nad oedd yn eang) o fewn y gymuned Gristnogol mewn rhannau o Gymru. Ceir patrymau 'allwedd' a 'chlymwaith' syml tebyg ar waith metel hefyd. Mae peth cerflunwaith o'r ddegfed ganrif neu ddechrau'r unfed ganrif ar ddeg o ogledd Cymru, fel y croesau ym Mhenmon a Dyserth, yn gysylltiedig â cherflunwaith o Cumberland, Westmorland, swydd Gaerhirfryn, swydd Gaer ac Ynys Manaw.

Nid yw'r arddull gelfyddydol nesaf, a elwir yn Jellinge (ar ôl safle tomen gladdu frenhinol yn Nenmarc, a ddyddiwyd drwy ddulliau dendrocronolegol i 958/9, lle cafwyd cwpan arian fechan wedi ei haddurno ag anifeiliaid rhubanaidd), yn gyffredin yn ardal Môr Iwerddon, er y'i ceir ar Ynys Manaw ac yn Lloegr (mewn fersiwn ddirywiedig fel arfer). Ceir rhai o'r enghreifftiau

133 *Maen Achwyfan ger Chwitffordd, sir y Fflint. Fel croes 'goll' debyg a safai ar un adeg yn Allt Melyd ger Dyserth, mae'n bosibl mai croes derfyn oedd hon. Deillia peth o'r eiconograffeg ar y groes o fytholeg Lychlynnaidd. Y ddegfed ganrif neu ddechrau'r unfed ganrif ar ddeg. ECMW 190.*

gaeth mewn sgroliau dolennog. Ni ddaeth unrhyw wrthrychau wedi eu haddurno yn null Mammen, a ffynnai rhwng 950 a 1020, i'r golwg hyd yma yng Nghymru.

Datblygodd dull Ringerike o addurnwaith yn seiliedig ar anifeiliaid yn ystod hanner cyntaf yr unfed ganrif ar ddeg o'r cynlluniau yn null Mammen. Bu addasu poblogaidd arno i gyd-fynd â'r chwaeth Seisnig yn ystod teyrnasiad y brenin Danaidd Cnut, ac fe'i ceir ar garegwaith a gwaith metel o Lundain i swydd Efrog. Fe'i dilynwyd o'r unfed ganrif ar ddeg hyd yn gynnar yn y ddeuddegfed gan addurnwaith mwy cywrain a llyfn a elwir yn ddull Urnes, ar ôl y cerfwaith pren yn yr eglwys fechan yn Urnes yng Ngorllewin Norwy. Mabwysiadwyd dulliau Ringerike ac Urnes yn Iwerddon gan artistiaid brodorol a arbrofai â chynlluniau Gwyddelig a Sgandinafaidd, ac arweiniodd hyn at boblogeiddio ac addasu'r dulliau hyn. Yn ystod y blodeuo hwyr ar y dull Urnes terfynol yn Iwerddon crëwyd enghreifftiau tra chywrain o gelfyddyd lawysgrif a gwaith metel eglwysig, megis y groes ymdeithiol a elwir yn Groes Cong, a wnaed fel creirfa ar gyfer darn o'r Wir Groes oddeutu 1123.

134 *Ar y dde: Cadwyn-gylch neu 'batrwm fertebrol' yn null Borre (yn edrych fel rhes o siapiau-Y yn cyd-gloi) ar baladr croes ym Mhenmon, Ynys Môn (canol y ddegfed ganrif; ECMW 38). Ceir cadwyn-gylch debyg ar Ynys Manaw. Chwith: gwelir patrwm-cylch cydgysylltiol islaw pen y groes ar un ochr i'r groes a elwir yn Faen Achwyfan. Mae'r cylch di-dor o amgylch y groes a'r patrymau a wneir o'r celloedd siâp-T hefyd i'w gweld ar groesau eraill o Oes y Llychlynwyr.*

135 *Mae'r addurn ar y bwcl hwn o aloi copr o Lanbedr-goch, Môn, yn cynnwys tri phanel o groesau gyda pheledau yn y bylchau rhwng y breichiau, a therfynell pen-anifail ('milffurf') ar un pen, a chwlwm-cylch dau-edefyn yn null Borre yn y pen â'r bwcl. Y ddegfed ganrif. (NMW 95.46H)*

gorau o'r dull Mammen a ddilynodd, a enwir ar ôl bwyell addurniedig o Mammen, Jutland, Denmarc, ar Ynys Manaw: anifail anghymesur yw'r prif fotiff â'i gorff wedi ei lenwi â philladdurnau a'i ddal yn

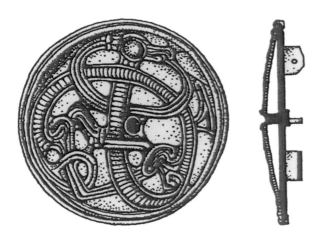

136 Daeth y froetsh ddisg aloi-copr Sgandinafaidd hon
yn null Jellinge, sy'n dangos anifail rhyngles
rhwyllwaith, i'r golwg yn ystod gwaith cloddio yng
Nghaer. Y ddegfed ganrif. Diamedr 31mm.
(Tynnwyd y llun gan P. Alebon. Hawlfraint Cyngor
Dinas Caer. Atgynhyrchwyd â chaniatâd)

Prin yw'r dystiolaeth o arddulliau Llychlynnaidd
yng Nghymru ond y mae'n amrywiol – digwydd ar
rai gwrthrychau cludadwy ac ar nifer fechan o
gofadeiliau sefydlog a oroesodd. Bu i'r dirywiad
yng ngrym y Llychlynwyr gyd-daro â chyflwyno
arddull celfyddydol arall o orllewin Ewrop yr ydym
yn ei adnabod ers y bedwaredd ganrif ar bymtheg
fel y dull Romanésg.

137 Arddull Ynysaidd sydd i'r patrymau rhwyllwaith
sy'n addurno'r groes ym Mhenmon, Môn, ond
ysbrydolwyd pen 'clustiog' y groes gan ddylanwad
Llychlynnaidd, ac fe'i ceir hefyd yn Cumbria yn
Oes y Llychlynwyr. Y ddegfed ganrif mae'n debyg.
ECMW 37.

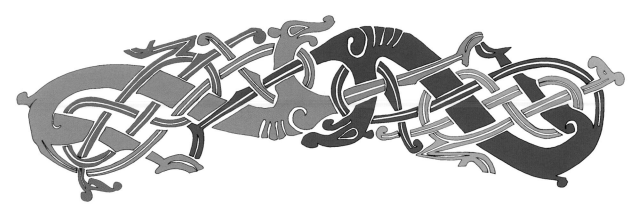

138 Mae'r fersiwn o ddull Urnes ar ddyrnfol Creigres y Smalls yn dwyn i gof y dull Ringerike cynharach, gyda'i gyrff cyson tynn, y dolennau troellog gosgeiddig a'i gymesuredd. Mae'r crefftwaith yn debyg i'r addurn ar greirfa Wyddelig braich Sant Lachtin, ac mae'n debygol iddo gael ei wneud yn Iwerddon gan grefftwyr tra medrus a weithiai yn y dull 'Gwyddelig-Lychlynnaidd' i noddwyr seciwlar ac eglwysig oddeutu 1100-25.

139 Gosodiad carrai-gwarthol ar ffurf gellygen ag anifail rhyngles (gyda'i ben ym mhen uchaf yr hyn oedd unwaith yn ffrâm trionglog â chlust gylchog) o Carey, swydd Henffordd, ger y ffin â sir Fynwy. Yr oedd dau rybed yn clymu'r gosodiad wrth garrai lledr. Mae'n debyg bod yr addurn Eingl-Sgandinafaidd hwn yn null Urnes yn dod o'r unfed ganrif ar ddeg. Uchder a oroesodd 40mm. (Amgueddfa ac Oriel Gelf Casnewydd; NPTMG: 90.5)

140 Gwrthrych o aloi copr ar ffurf amlinell o fwystfil yn brathu ei gynffon ei hun, gyda mewnosodiad niello a gwifren arian, o Tong, swydd Amwythig. Mae'r addurn yn y dull 'Is-Ringerike', a gall y gwrthrych fod yn rhan o fochddarn oddi ar harnes ceffyl o'r unfed ganrif ar ddeg. Hyd mwyaf 33mm. (Casgliad preifat; trwy garedigrwydd Gwasanaeth Amgueddfeydd Swydd Amwythig)

Credoau Paganaidd Llychlynnaidd

Paganiaid oedd y Llychlynwyr yn y byd Sgandinafaidd, a chredent mewn cylch o fythau cosmolegol am y creu a diwedd y byd; dibynnai popeth ar dynged. Roedd pantheon Nordig wedi hen ennill ei blwyf: perthynai'r mwyafrif o dduwiau a duwiesau i'r hil a alwent yn *Æsir* a drigai yn *Ásgarth (Ásgarðr)*, ond yr oedd grŵp bychan o *Vanir*, a fyddai'n ymddwyn yn wahanol. Yr oedd yr *Æsir* yn cynnwys *Óthin* (Odin), duw ysbrydoliaeth, grym, brwydr a'r awen (ei brif nodweddion corfforol oedd ei glogyn, ei un llygad, ei waywffon *Gungnir* a'i geffyl *Sleipnir*, a'r cigfrain ar ei ysgwyddau; *Thór*, duw nerth ('prif laddwr cewri'), mellt a tharanau, yr elfennau a chnydau (ei nodwedd ef oedd y morthwyl-fwyell *Mjöllni*); a'u cyfaill *Loki*, cymeriad direidus. Yr oedd y *Vanir* yn cynnwys *Freyr*, duw cyfoeth, ffrwythlondeb, ac iechyd (y twrch oedd ei arwyddlun ef), a'i chwaer *Freyja*, duwies a deyrnasai dros ffrwythlondeb (gyda'i mwclis enwog *Brísingamen*). Mae cerddi a gyfansoddwyd yng Ngwlad yr Iâ (yr *Edda*) yn adrodd hanesion am y duwiau a'u mythau.

Cafwyd crogdlysau a ffigurynnau yn Sgandinafia a rhannau o Brydain y credir eu bod yn cynrychioli rhai o'r duwiau hyn a'u symbolau, a gellir cysylltu golygfeydd hanesïol a gafwyd ar rai croesau cerrig cerfiedig, yn bennaf yn Lloegr ac ar Ynys Manaw, â digwyddiadau ym mythau a chwedlau mamwledydd y Llychlynwyr.

141   *Manylion o'r groes ddiateg o'r enw Maen Achwyfan ger Chwitffordd, sir y Fflint, yn dangos ffigur gwrywaidd noeth, gyda gên fain a'i freichiau fry, a gwaywffon neu ffon yn ei law dde; nae bwyell yn ei law arall. Gall fod gwain cledd ar ei glun chwith, a gwelir gwrthrych arall o dan ei fraich dde. Mae rhuban troellog, neidr efallai, yn ymgordeddu o amgylch rhan waelod ei gorff ac mae torchau o'i amgylch. Ymddengys fod yr olygfa ffigurol hon yn seiliedig ar fytholeg Sgandinafaidd, er nad yw'n bosibl ei chysylltu i sicrwydd â stori benodol (er enghraifft y rhyfelwr-dywysog Gunnar wedi ei daflu i bydew o seirff ar ôl i Atli ei ddal, golygfa a addaswyd gan rai artistiaid a cherflunwyr yng ngogledd Lloegr ac ar Ynys Manaw.*

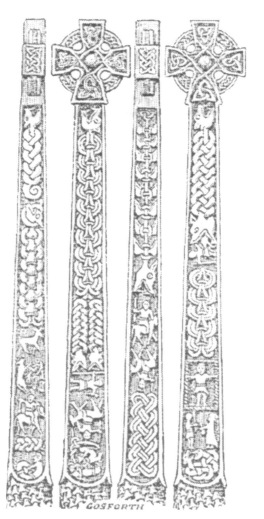

142 Mae'r groes goch drawiadol o dywodfaen ym mynwent
eglwys Gosforth, Cumbria, yn dangos sut y cymhathwyd
syniadau Sgandinafaidd a Christnogol. Cyfunir
golygfeydd Cristnogol a ysbrydolwyd gan eiconograffeg
Wyddelig ag addurn a ffigurau mytholegol Sgandinafaidd:
ymddengys Mair Fadlen fel Falcyri â phlethen (yn
cynrychioli pagan a gafodd dröedigaeth?) a golygfeydd o
Ragnarök (yr hanes am orchfygu Duwiau'r fytholeg
Nordig). Mae'r motiff addurnol ar ran silindraidd isaf y
paladr ar ffurf cadwyn-gylch yn null Borre. Efallai i'r
groes o'r ddegfed ganrif gael ei chomisiynu gan ŵr
cyfoethog lleol. Cymerwyd y llun o V. G. Collingwood,
Northumbrian Crosses of the Pre-Norman Age
(Llundain, 1927).

Marw a Chladdu

Credai Llychlynwyr paganaidd mewn bywyd ar ôl marwolaeth, ac y byddai eneidiau'r rhyfelwyr arwrol dewraf yn gwledda yn neuadd Odin, sef *Valhall* ('Neuadd y Lladdedigion') mewn Hen Norwyeg. Câi hyn ei adlewyrchu yn eu harferion claddu, oherwydd byddai'n arfer ganddynt roi mewn beddau wrthrychau bob-dydd a allai fod yn ddefnyddiol i'r meirw, fel offer, arfau, ac weithiau geffylau neu gychod – arwydd o statws a chyfoeth i'r byw lawn cymaint â budd i'r meirw. Yr oedd rhai claddedigaethau ysblennydd, rhai penaethiaid neu freninesau, yn cynnwys cychod ynghyd â'u harfau, tlysau, celfi, cerbydau ac anifeiliaid. Mae'n debyg bod y math o fedd, boed baganaidd neu Gristnogol, yn adlewyrchu credoau'r unigolyn, arferion claddu lleol, credoau'r rhai a oedd yn claddu, tirnodau neu hawliau ffiniau.

Ceir nifer wasgaredig o gladdedigaethau Llychlynnaidd ar arfordiroedd gogledd a dwyrain Iwerddon (fel y fynwent fechan ar Ynys Rathlin), ond yn Nulyn y nodwyd yr unig grynhoad o aneddiadau a chladdedigaethau hyd yma. Daethpwyd o hyd i'r mynwentydd a gysylltir â'r 'longphort' Llychlynnaidd a sefydlwyd ar afon Liffey yn Nulyn yn 841 ym maestrefi modern Kilmainham ac Islandbridge yn y 1840au. Cafwyd olion o leiaf bymtheg ar hugain o gladdedigaethau Llychlynnaidd yn y ddwy fynwent hyn, yn dyddio'n ôl i ail hanner y nawfed ganrif: claddwyd rhyfelwyr ynghyd â chleddyfau a wnaed ar y Cyfandir neu yn Norwy, tariannau, gwaywffyn a bwyeill, a broetshis a wnaed yn Sgandinafia; câi benywod (sy'n lleiafrif) eu claddu â broetshis hirgrwn, byclau, casys nodwyddau, cadwynau o leiniau gwydr a chafwyd hefyd fwrdd smwddio o asgwrn morfil. Credir bod gefeiliau a morthwylion haearn yn arwydd o feddrodau nifer o grefftwyr, ac weithiau cleddid gwelleifiau gyda menywod. Yr oedd rhai arfau wedi eu plygu neu eu torri - efallai y caent eu 'lladd' yn ddefodol i'w gwneud yn ddiwerth (gweithred a gysylltir yn aml ag amlosgi). Ceir tystiolaeth o nifer anhysbys o gladdedigaethau Gwyddelig brodorol yn yr un ardal.

Credir mai claddedigaethau dygwyr-tir gwreiddiol, gwŷr a chanddynt ystadau, oedd rhai o'r mwyaf trawiadol. Cafwyd beddrodau Llychlynnaidd paganaidd cyfoethog sy'n dyddio mae'n debyg o ddiwedd y nawfed ganrif neu ddechrau'r ddegfed ar Ynys Manaw, gan gynnwys claddedigaeth-gwch yn Balladoole a gynhwysai weddillion rhyfelwr a gwraig (gweler t. 57). Cafwyd hyd i wraig ganol-oed o statws cymdeithasol uchel, a gladdwyd yn y ddegfed ganrif â nwyddau claddu niferus ac yn gwisgo mwclis o leiniau ecsotig, yn ystod gwaith cloddio ar Ynys Sant Padrig, Peel, Ynys Manaw, yn y 1980au. Yn Lloegr, cafwyd beddau tebyg yn Cumbria. Yr oedd un bedd o'r fath o eiddo rhyfelwr Llychlynnaidd yn Aspatria, ger Caerliwelydd, a ddarganfuwyd ym 1789, yn cynnwys gwaywffon â soced addurniedig arian, cleddyf â charn addurniedig, bwyell, rhannau o darian, genfa haearn ac ysbardun pig, bwcl aur a phen carrai yn y dull Carolingaidd. Efallai mai cael ei amlosgi a wnaeth rhyfelwr arall a gladdwyd mewn bedd ynghyd â nwyddau claddu yn Hesket-in-the-Forest yn Cumbria.

Yng Nghymru darganfuwyd o leiaf bedwar safle lle ceir claddedigaethau Sgandinafaidd paganaidd posibl o Oes y Llychlynwyr, er na chawsant eu cloddio'n wyddonol. Cafwyd y pedwar beddrod, a allai fod wedi eu nodi'n weledol mewn rhyw fodd yn wreiddiol, yn agos at yr arfordir.

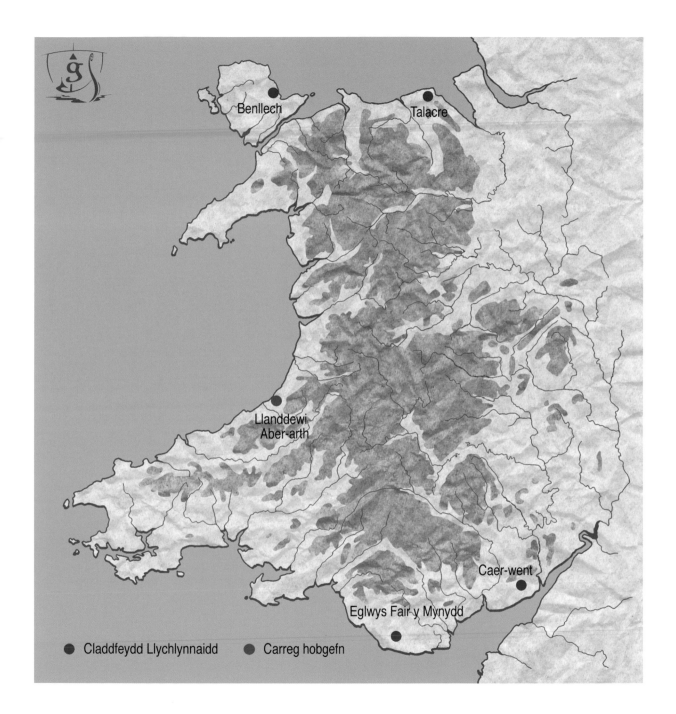

Benllech

Talacre

Llanddewi
Aber-arth

Caer-went

Eglwys Fair y Mynydd

● Claddfeydd Llychlynnaidd   ● Carreg hobgefn

143 *Lleoliad claddedigaethau Llychlynnaidd yng Nghymru. Yn groes i'r farn yn y 1890au, nid oes tystiolaeth mai esgyrn rhyfelwyr Llychlynnaidd oedd yr esgyrn clun dynol a ddarganfuwyd wedi eu cau o fewn ceudod colofnau yn yr eglwys yn Steynton, sir Benfro.*

Claddfa Benllech

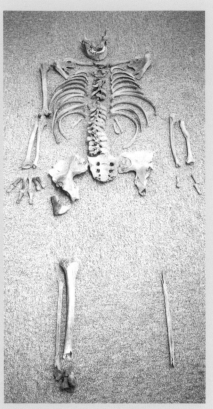

144 Ym 1945 daethpwyd o hyd i fedd ger y man hwn ar gefnen
dywodlyd yn wynebu traeth Benllech, ar ochr ddwyreiniol Môn.
Yr oedd nifer o hoelion haearn a darn o grib corn carw a gafwyd
ynddo yn awgrymu Oes y Llychlynwyr. A oedd y person hwn
yn un o'r genhedlaeth gyntaf o wladychwyr Llychlynnaidd
paganaidd ym Môn? Dim ond rhagor o waith a ddengys.

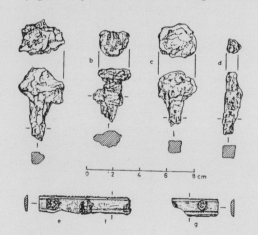

147 Awgrymwyd mai hwn oedd y sgerbwd a
gafwyd yn y 1940au mewn bedd yn y
Benllech, Môn. Os nad oddi yno y daeth,
ymhle y daethpwyd o hyd iddo? (Oriel Ynys
Môn L2/95)

145 Darnau o grib a hoelion haearn o'r bedd yn y
Benllech, Môn. Cymerwyd bod yr ychydig
afliwiad ar un o esgyrn y bysedd yn arwydd i
fodrwy fod yno'n flaenorol. (Amgueddfa ac
Oriel Gelf Bangor 1984/17.1-7)

146 Y staenio ar belfis a llaw y sgerbwd y credir iddo
ddod o'r bedd yn y Benllech, Môn. (Oriel Ynys Môn
L2/95)

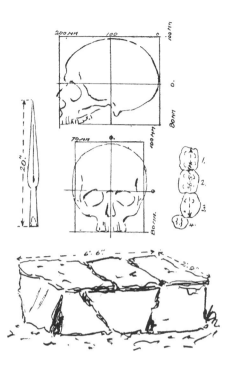

148 *Brasluniau o'r gistfaen, y benglog, y deintyddiad
a'r waywffon o'r gladdedigaeth Lychlynnaidd yn
Nhalacre, sir y Fflint (atgynhyrchwyd o*
Proceedings of the Llandudno, Colwyn Bay
and District Field Club 17, 1931-2). *Mae'r bedd,
ynghyd â'r dystiolaeth o enwau lleoedd a
cherflunwaith yn yr ardal, yn awgrymu
gweithgarwch Llychlynnaidd yn y cyffiniau yn
gysylltiedig â'r hyn oedd yn digwydd yng
ngorllewin swydd Gaer a Chilgwri.*

Yn y 1930au daethpwyd o hyd i fedd
Llychlynnaidd wrth gloddio am garthbwll ar gyfer
tŷ newydd ger Talacre, sir y Fflint. Bu'r bedd, a
oedd wedi ei ymylu â slabiau cerrig, ynghudd dan
luwch o dywod, ond gorweddai ar haen o raean
caletach. Yr oedd yr ochrau wedi eu gwneud o
slabiau afreolaidd o gerrig, y pennau wedi eu
hymylu â slabiau unigol, a'r caead o dri slab mawr.
Yr oedd y sgerbwd yn gyflawn, ac yn gorwedd ar
ei gefn, gyda phen gwaywffon haearn 'ymhlith yr
esgyrn hirion'. Adroddwyd hefyd bod cyllell
haearn yn y bedd. Ni wyddys ymhle y mae'r

nwyddau claddu hyn bellach.

Ymchwiliwyd i gladdedigaeth arall yn y Benllech
ym Môn yn y 1940au. Gorweddai pen y sgerbwd
i'r gogledd neu'r gogledd-ddwyrain, ac awgrymai
hoelion haearn bresenoldeb arch neu gist. Yr unig
wrthrych i oroesi yn y bedd oedd darnau o grib
ddwyochrog o garn carw; ceir cribau o'r math hwn
ym meddau'r ddau ryw. Yn ôl yr astudiaeth
wreiddiol o'r sgerbwd, esgyrn gwraig ifanc oedd y
rhain, ac yr oedd ychydig afliwiad ar un o esgyrn y
bysedd yn awgrymu presenoldeb modrwy yn
flaenorol. Yn ddiweddarach daeth yr arteffactau i
feddiant Amgueddfa Bangor, ond roedd yr esgyrn
eisoes wedi eu colli. Yn ddiweddar daeth sgerbwd
i'r fei a gall mai hwn yw'r corff a gollwyd.
Gwelwyd o archwiliad anatomegol mai sgerbwd
benyw yw hwn, rhyw 25-35 oed. Fodd bynnag,
ymddengys fod y staeniau gwyrdd ar rai o'r esgyrn
yn helaethach nag a nodwyd yn yr adroddiad
gwreiddiol, a'u bod yn gorchuddio rhan o'r pelfis
de a phob un o esgyrn bysedd y llaw dde. Ceir
hefyd dorasgwrn wedi gweu'n ôl ar y radiws
chwith (gwaelod y fraich) na soniwyd amdano yn y
cyhoeddiad gwreiddiol. Os yw'r sgerbwd yn
dyddio'n ôl i ddiwedd y nawfed ganrif neu i'r
ddegfed, yna mae'n bosibl mai canlyniad yw'r
staenio i gyrydu gwrthrych o aloi copr a osodwyd
yn y bedd - gwrthrych megis modrwy, bwcwl neu
dlws a symudodd rywsut. (Digwyddodd rhywbeth
tebyg gyda chladdedigaeth yn Reay yn Caithness,
lle y cafwyd pin cylchog uwch y glun dde.)

Awgrymwyd trydydd bedd paganaidd posibl o
ddiwedd y nawfed neu ddechrau'r ddegfed ganrif
fel cyd-destun tebygol ar gyfer pâr o wartholion a
gafwyd yn y bedwaredd ganrif ar bymtheg yn
Eglwys Fair y Mynydd ym Mro Morgannwg; gall
gwaywffon a bwyell, efallai o ddiwedd y nawfed/y
ddegfed ganrif a gafwyd yng Nghaer-went, Sir
Fynwy, fod o bedwerydd bedd. Daethpwyd o hyd
i arfau y credir iddynt ddod o feddau
Llychlynnaidd mewn mynwentydd yn Lloegr ac

150 *Lleoliad claddedigaeth bosibl o Oes y Llychlynwyr yng Nghaer-went, sir Fynwy. Daethpwyd â'r gwaith o gloddio Insula XII yn ardal y bedd Llychlynnaidd diweddar i ben ym 1912 oherwydd y nifer enfawr o gladdedigaethau eraill (nad oeddent yn rhai Llychlynnaidd) y daethpwyd ar eu traws.*

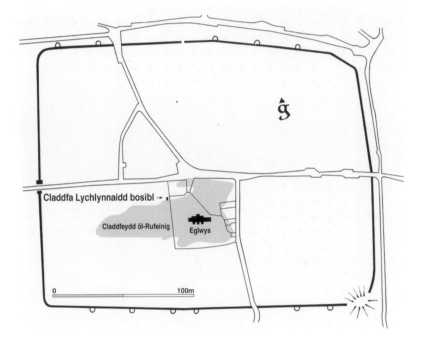

Claddfa Lychlynnaidd bosibl →

Claddfeydd ôl-Rufeinig

Eglwys

0   100m

149 *Pin o aloi copr â phatrwm gris ar y paladr o Lanfair Pwllgwyngyll, Môn. Rhan o bin cylchog o'r ddegfed ganrif yw hwn, a gafwyd yn ystod cloddio beddau yn y fynwent yn y 1940au, ac efallai y daw o feddrod o Oes y Llychlynwyr, er nad o anghenraid o fedd Llychlynnwr. Hyd 152mm. (Oriel Ynys Môn 65/92)*

Ynys Manaw, ac mae'r man darganfod yng Nghaer-went yn gorwedd ar ymyl gogleddol y fynwent fewnol ganoloesol gynnar a gysylltir â chlas neu fynachlog y sant o Wyddel, Sant Tatheus. Mae gwaith cloddio diweddar yn Nhŷ Newydd ar Ynys Enlli hefyd wedi datgelu mynwent. Mewn un bedd claddwyd oedolyn gwrywaidd ac un o geiniogau arian Edgar (cyn-973) yn ei geg, o barch, mae'n ymddangos, i'r arfer baganaidd o dalu i'r cychwr am gludo'r marw dros afon Angau. Nodwyd arfer debyg mewn bedd plentyn o ganol y ddegfed ganrif ar Ynys Sant Padrig, Peel, Ynys Manaw, lle cafwyd ceiniog dan ochr dde'r ên. Mae ymchwiliadau'n parhau i union gyd-destun hanesyddol y gladdedigaeth ar Enlli, na chredir iddi ddigwydd cyn oddeutu 980.

Y Llychlynwyr Cristnogol

Ar ddechrau'r nawfed ganrif, yr oedd y Llychlynwyr ymhlith paganiaid olaf Ewrop. Yn sgil eu teithiau, fel mordwywyr, ysbeilwyr, masnachwyr neu wladychwyr, deuent yn amlach i gysylltiad â Christnogion, ac yn aml derbyniai masnachwyr Llychlynnaidd y ffydd Gristnogol er mwyn meithrin eu perthynas â chlientiaid. Credir bod y nifer gymharol fychan o gladdedigaethau Llychlynnaidd a gafwyd â nwyddau claddu ym Mhrydain yn arwydd bod y Llychlynwyr wedi mabwysiadu Cristnogaeth, neu o leiaf arferion claddu lleol, yn gyflym. Daeth defodau paganaidd a'r arfer o gladdu nwyddau mewn beddau i ben yn raddol yn ystod y ddegfed ganrif, a gallai hyn awgrymu perthynas fwy cymhleth rhwng y Llychlynwyr a'r poblogaethau lleol nag a gredir yn gyffredinol. Arweiniodd dylanwad Cristnogion lleol ar wladychwyr Llychlynnaidd ynghyd â phriodasau cymysg at gyfuno credoau. Adlewyrchiad o hyn yw'r golygfeydd o fythau Nordig paganaidd sy'n ymddangos ar gerrig cerfiedig Cristnogol. Ar Ynys Manaw, mae arysgrifau rwnig o'r ddegfed ganrif yn ymddangos ar gerrig croesau Cristnogol, ac mae cerrig coffa a godwyd ac arnynt enwau Celtaidd a Norwyaidd yn arwydd o ryngbriodi rhwng Llychlynwyr a Christnogion lleol. Gall peth cerflunwaith carreg o Gymru fod yn arwydd o gyfnewid diwylliannol tebyg rhwng y Northmyn a Chymry brodorol. Yr oedd Caer yn ganolfan gerfio bwysig, a dylanwadwyd ar y cerflunwyr gan ddulliau celfyddyd Lychlynnaidd Borre a Jellinge diwedd y nawfed ganrif a'r ddegfed ganrif.

Daw'r garreg fedd 'hobgefn' unigryw, a ddisgrifiwyd gan rai fel math o gofadail

151 Yr hobgefn yn yr eglwys gyn-Normanaidd yn Llanddewi Aber-arth, Ceredigion, yw'r unig enghraifft (anghyflawn) o'r ffurf Eingl-Sgandinafaidd hon ar gofadail i'w hadnabod yng Nghymru. Mae'r garreg, a fu o bosib yn nodi bedd ar un adeg, ar ffurf tŷ â thalcen plaen. Mae'r wynebau uchaf wedi eu haddurno â rhesi, sy'n cynrychioli'r to a gâi ei ddarlunio ar hobgefnau cynharach (heb batrwm estyll yn yr achos hwn). Y ddegfed neu'r unfed ganrif ar ddeg mae'n debyg. Hyd oddeutu 620mm. ECMW 114.

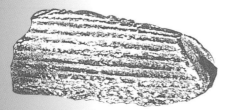

152 Bathodd gwladychwyr Danaidd East Anglia ddarnau arian i goffáu'r Brenin Cristnogol Edmund a ferthyrwyd, ryw ugain mlynedd yn unig ar ôl iddynt ei ladd. Mae ceiniog 'Sant Edmwnd' yn arwydd i'r ffydd newydd gael ei derbyn yn eang. (NMW 79.94H/4)

Lychlynnaidd, o'r ddegfed ganrif o ardaloedd lle gwladychodd y Sgandinafiaid yng ngogledd Lloegr. Oddi yno ymledodd i'r Alban a Chymru. Dim ond un enghraifft sy'n goroesi o Iwerddon. Ceir casgliadau pwysig o gerfluniau o'r math hwn yn Brompton ger Northallerton (swydd Efrog), Gosforth a Penrith (Cumbria) a Govan (Glasgow), ymhlith mannau eraill. Mae'n debyg i ffurf y garreg fedd hobgefn gael ei hysbrydoli gan gaeadau beddrodau neu greirfeydd ar ffurf tŷ neu gist, ac mae'n dilyn yn agos batrwm tai cyfoes â thâl meini ac, yn aml, do siec (estyll pren). Anaml y ceir hobgefnau in situ, gan i'r mwyafrif gael eu hailddefnyddio i godi eglwysi Normanaidd. Ychydig sy'n aros o'r cynlluniau aml-liw llachar gwreiddiol, ac ar lawer mae'r manylion yn anodd eu dehongli.

Rwnau

Llythrennau sgript, yn hytrach nag iaith, yw rwnau. Llythrennau onglog sy'n cynnwys llinellau syth ydynt, ac maent yn ddelfrydol ar gyfer ysgythru pren, asgwrn, metel neu garreg.

153 *Mae hwn yn dangos un fersiwn ar yr wyddor rwnig Sgandinafaidd neu'r* **futhark**, *enw sy'n cynrychioli'r chwe llythyren gyntaf. Eingl-Sacsoniaid a ddaeth â'r llawysgrifen i Loegr gyntaf; lledaenodd y* **futhark** *Sgandinafaidd diweddarach dros Ewrop rhwng y nawfed a'r ddegfed ganrif. Fodd bynnag, mae rwnau Llychlynnaidd yn syndod o brin yn Ynysoedd Prydain - yn wahanol i Lychlyn ei hun.*

154 *Nid llythrennau Sgandinafaidd, ond rhai Hen Saesneg, yw'r rhai ar y fodrwy aur hon a ddarganfuwyd ar Gomin Llysfaen, sir Ddinbych ym 1773. Ar un adeg uniaethwyd yr enw* +ALHSTAN *ag Eahlstan, esgob Sherborne, 824-67, ond mae amheuaeth ynghylch hyn bellach. (Cyhoeddir yr engrafiad â chaniatâd Cymdeithas Hynafiaethwyr Llundain)*

Pos Rwnig

Ers bron i hanner canrif bu'r marciau gwan ar wyneb gogleddol paladr y groes o'r unfed ganrif ar ddeg neu'r ddeuddegfed ganrif sydd ym mynwent Corwen, sir Ddinbych yn herio llawer sylwedydd. Crybwyllwyd y marciau gyntaf gan yr Athro R. A. S. Macalister ym 1935, ac awgrymodd ef y gellid eu dehongli fel llythrennau rwnig yn darllen **I Th FUS**, enw personol Hen Norwyeg. Credai V. E. Nash-Williams, awdur *The Early Christian Monuments of Wales* (1950), mai olion patrwm-allwedd neu gynllun tebyg oedd y marciau a'r bwlch llydan rhyngddynt.

Os gwir mai llythrennau rwnig yw'r marciau, sy'n anodd eu gweld bellach ond sydd yno ar draws y paladr cyfan, gallent fod yn rhai Eingl-Sacsonaidd, gan fod rwnau'n cael eu defnyddio yn Lloegr hefyd. Nid oes dim i gefnogi'r awgrym i'r 'rwnau' tybiedig gael eu cerfio gan Lychlynnwr ar grwydr.

155 *Y groes yng Nghorwen, gyda rhwbiad o'r marciau ar ei hwyneb gogleddol.*

Y Diwedd yng Nghymru

'Llosgasom ysguboriau,
- eu gwaedu,
y ffermwyr; anrheithiodd
Svein chwech ar doriad gwawr.
Yn ffyrnig, a'i fryd
ar weini arnynt, cludodd
lo ddigon i gynnau
eu bythynnod.'
(Pennill Islandaidd yn disgrifio ymosodiad yn y
12fed ganrif gan Svein Ásleifarson ar ffermydd yng
Nghymru: *Orkneyinga saga* p. 78, ar sail cyfieithiad
gan H. Pálsson a P. Edwards, 1978)

Gyda marw Cnut ym 1035, dechreuodd ei
Ymerodraeth Eingl-Sgandinafaidd chwalu, a
chollwyd golwg ar faterion penodol Gymreig yn
ystod y cyfnod yn union cyn y Goncwest
Normanaidd yn Lloegr, a ddechreuodd ym 1066.
Yn y blynyddoedd wedi Brwydr Hastings,
cefnogwyd gwrthryfeloedd Seisnig gan y
Llychlynwyr (fel pan ysbeiliwyd Bryste a Gwlad yr
Haf ym 1068 gan feibion Harold). Fel y cofnodwyd
yn yr *Historia Gruffud vab Kenan* unigryw, yr oedd
gan Gymru (ac yn arbennig y gogledd) gysylltiadau
agos yn wleidyddol a masnachol â'r byd
Gwyddelig-Norwyaidd. Ym 1138 daeth meibion
Gruffudd ap Cynan, Owain Gwynedd a
Chadwaladr, â llynges o bymtheg o longau
Llychlynnaidd (o Iwerddon, mae'n debyg) i
ymgyrchu yn erbyn y Normaniaid yng
Ngheredigion, ac arweiniodd hynny at ymosod ar
Abaty Llandudoch. Daeth ymosodiadau
Llychlynnaidd o'r fath i ben yn ystod hanner cyntaf
y ddeuddegfed ganrif, a rhai o'r olaf ohonynt oedd
rhai'r Llychlynnwr o Ynysoedd Erch, Svein
Ásleifarson (m. 1171).

Parhaodd dylanwadau diwylliannol Sgandinafaidd

156 Yn aml ceid uwchben pyrth Romanésg gapan o gerrig ar ffurf hanner cylch (**tympana**) a oedd yn ddelfrydol i'w
cerflunio. Mae'r **tympanum** hwn o ganol y ddeuddegfed ganrif, o Benmon, Môn, yn dangos amlinell o fwystfil
a'i ben yn troi am yn ôl, yn brathu ei gynffon ei hun sy'n mynd rhwng ei goesau ôl. Mae rhyngles tri-edefyn yn
creu motiff ar yr ymylon. Mae dylanwad cryf cerflunydd Ynysaidd ar y cynllun, ac mae'n dangos sut yr oedd
crefftwyr yn dal i weithio â hen draddodiadau ymhell i'r 12fed ganrif.

i ryw raddau mewn rhai ardaloedd yn dilyn y goresgyniad Normanaidd a oedd, erbyn y 1080au, wedi cyrraedd ymhell i mewn i Gymru. Yn Iwerddon, ystyrir bod y briod Oes Lychlynnaidd yn diweddu oddeutu 1080, ond ffynnai diwylliant Nordig mewn rhai ardaloedd

157 *Goresgynnodd y Normaniaid diroedd llawn traddodiadau celfyddydol cymhleth. Ceir un enghraifft hynod ychydig dros y ffin yng ngwaith cerrig Hen Dywodfaen Coch eglwys Fair a Dewi Sant, Kilpeck, swydd Henffordd, yn yr addurn hwn (y dylanwadwyd arno gan y dull Urnes Llychlynnaidd diweddar). Cynrychiola'r addurn, a luniwyd mae'n debyg yng nghyfnod Hugh, Arglwydd Kilpeck, yn y 1130au, asiad lleol y dylanwadau Sgandinafaidd a Romanésg ynghyd â dylanwad Caer-wynt.*

arfordirol ymhell i'r ddeuddegfed ganrif ac yr oedd Dulyn yn dal yn Norwyeg ei hiaith pan ymosodwyd o Gymru gan yr Eingl-Normaniaid ym 1169-70. Mae'n bosibl i ddylanwad y Llychlynwyr barhau mewn rhannau o Gymru hefyd. Ar y Cyfandir, canlyniad hirdymor y gwladychiad Llychlynnaidd yn Ffrainc fu sefydlu Dugiaeth Normandi yn y ddegfed ganrif. Mewn ffordd anuniongyrchol, un o sgil-effeithiau mwyaf arwyddocaol y Llychlynwyr ar Gymru a Lloegr fu'r ymosodiadau Normanaidd, a nodai wawr cyfnod newydd.

158 *Llun allan o G.R. Lewis, Illustrations of Kilpeck Church, Herefordshire: in a series of drawings made on the spot (Llundain, 1842), yn dangos addurnwaith drws y de.*

Yr Etifeddiaeth

Rhaid ystyried effaith y Llychlynwyr ar Gymru fel rhan o batrwm ehangach o weithgarwch yng ngogledd-orllewin Ewrop a gellir ei gymharu, er enghraifft, â'r dylanwad ar Lydaw. Prin fu'r dylanwad ar yr iaith Gymraeg nac ar y drefn wleidyddol, ac nid ysgogodd y Llychlynwyr unrhyw ddatblygiadau trefol. Llwyddodd y Cymry i gyfyngu ar wladychiad y Llychlynwyr a gellir priodoli i'r Llychlynwyr beth dylanwad anuniongyrchol ar ddatblygiad synnwyr o undod ymhlith y Cymry yn wyneb bygythiad o'r tu allan. Mae peth o'u heffaith episodig bellach yn anweledig – y trysorau a gollwyd a'r difrod diwylliannol a achoswyd gan yr ysbeilio – er ei gofnodi i raddau helaeth yn y blwyddnodau, mewn enwau llefydd a thrwy gyfrwng darganfyddiadau achlysurol. Yn dilyn gwaith cloddio diweddar gellir bellach ei ystyried o'r newydd.

Cyrhaeddodd y Llychlynwyr Ogledd America i'r gorllewin, a buont yn gweithio i'r Ymerawdwr yng Nghaer Gystennin (Istanbul bellach) yn y dwyrain; maent yn dal i gyfareddu pobl mewn gwahanol rannau o'r byd; hybir hynny gan y ddelwedd ramantaidd barhaus o'r hil Ogleddol falch, ond fe'i tymherwyd hefyd yn y degawdau diwethaf gan ddirnadaeth newydd o ochr fwy tywyll ar y naill law ac agweddau mwy diwylliedig ar y llall. Prin o

hyd yw'r dystiolaeth gorfforol o bresenoldeb Llychlynnaidd yng Nghymru, ond mae'r diddordeb cyhoeddus yn y Llychlynwyr yn sylweddol: mae dau grŵp yn bodoli sy'n ail-greu eu gwisgoedd yn gywir trwy grefftau a adfywiwyd ac sy'n diddanu'r cyhoedd â 'hanes byw', ac mae'r cyfnod yn rhan o'r Cwricwlwm Cenedlaethol yng Nghymru. I lawer, mae'r ymchwil am Gymru'r Llychlynwyr yn parhau.

159 Grŵp yn ail-greu cyfnod y Llychlynwyr yn Amgueddfa Werin Cymru, Sain Ffagan (uchod) ac ym Mharc Cathays, Caerdydd (isod).

160 Rhan o ganllaw efydd ar ffurf llong Lychlynnaidd ar brif risiau Neuadd y Ddinas, Abertawe (codwyd 1932-36). Addurnwyd y grisiau ag arwyddion o gysylltiadau Sgandinafaidd ag Abertawe, mae mygydau o Svein Fforchfarf a'i ryfelwyr ar hyd y meini clo, a chanllawiau efydd y grisiau ar ffurf trwyn a starn ei longau hir.

Amgueddfeydd a Chofadeiliau i Ymweld â Hwy

Detholiad yn unig yw'r rhestr hon o'r llu o amgueddfeydd, llyfrgelloedd a safleoedd sydd â deunydd sy'n ymwneud ag Oes y Llychlynwyr yng Nghymru:

Aberystwyth: Llyfrgell Genedlaethol Cymru, Aberystwyth, Ceredigion, SY23 3BU

Bangor: Amgueddfa ac Oriel Gelf Bangor, Ffordd Gwynedd, Bangor, LL57 1DT

Caerdydd: Amgueddfa ac Oriel Genedlaethol, Parc Cathays, Caerdydd, CF10 3NP

Casnewydd: Amgueddfa ac Oriel Gelf Casnewydd, Sgwâr John Frost, Casnewydd, NP9 1PA

Llangefni: Oriel Ynys Môn, Llangefni, Ynys Môn, LL57 7TQ

Y Trallwng: Powysland Museum & Montgomeryshire Canal Centre, Glanfa'r Gamlas, Y Trallwng, SY21 7AQ

Croesau:

Caeriw, Sir Benfro

Dyserth, ger Prestatyn, Sir Ddinbych

Maen Achwyfan, ger Chwitffordd, Sir y Fflint

Nyfern, Sir Benfro

Priordy Penmon, Ynys Môn

Tyddewi, Sir Benfro

Casgliadau eraill:

Caer: Amgueddfa Grosvenor

Caeredin: Amgueddfa Genedlaethol yr Alban

Dulyn: Amgueddfa Genedlaethol Iwerddon

Efrog: Amgueddfa Swydd Efrog, Canolfan Jorvik

Llundain: Yr Amgueddfa Brydeinig, Amgueddfa Victoria ac Albert, Amgueddfa Llundain, Y Llyfrgell Brydeinig

Rhydychen: Amgueddfa'r Ashmolean

Ynys Manaw: Treftadaeth Genedlaethol Manaw, Amgueddfeydd Manaw, Douglas

Trysorau Arian a Gafwyd yng Nghymru: y mannau lle'u cafwyd

1   Minchin Hole, Gŵyr, Abertawe. Gadawyd *c.* 850 (Amgueddfa Abertawe).

2   Llanbedr-goch, Ynys Môn. Gadawyd *c.* 850 (Amgueddfa ac Oriel Genedlaethol Caerdydd).

3   Breichrwyau arian Traeth Coch, Ynys Môn. Gadawyd *c.* 905 (Amgueddfa ac Oriel Genedlaethol Caerdydd).

4   'Banc y Midland' Bangor, Gwynedd. Gadawyd *c.* 925 neu'n fuan wedyn (Amgueddfa ac Oriel Gelf Bangor, ar fenthyg i'r Amgueddfa ac Oriel Genedlaethol Caerdydd).

5   Bangor, 'Gardd y Ficer Hŷn', Gwynedd. Gadawyd c. 970 (ar goll).

6   Talacharn, Sir Gaerfyrddin. Gadawyd *c.* 975 (casgliad preifat).

7   Ger Trefynwy, Sir Fynwy. Gadwyd yn y 990au (ar goll).

8   Pen-rhys, Gŵyr, Abertawe. Gadawyd *c.* 1008 (lleoliad yn anhysbys).

9   Drwsdangoed, Gwynedd. Gadawyd *c.* 1030 (lleoliad yn anhysbys).

10   Bryn Maelgwyn, Conwy. Gadawyd *c.* 1024 (Amgueddfa ac Oriel Genedlaethol Caerdydd).

11   Pant-yr-eglwys, ger Llandudno, Conwy. Gadawyd 1020au (Amgueddfa ac Oriel Genedlaethol Caerdydd).

Geirfa a Byrfoddau

Anthropomorffig	Â ffurf a chymeriad dyn.
Arolwg geoffisegol	Arolwg o ffiseg y ddaear, yn aml â magnetomedr neu wrthedd.
Æsir	Tylwyth o dduwiau Nordig, yn cynnwys Odin a Thor.
Bilet	Bar bychan o fetel.
Blwyddnodau	Cofnodion blynyddol o ddigwyddiadau.
Borre	Dull celfyddydol Llychlynnaidd a enwyd ar ôl tomen gladdu yn Nenmarc. Motiffau rhyngles geometrig yn gyffredin. Ffynnai ddiwedd y nawfed - degfed ganrif.
Brycheiniog	Teyrnas fechan ddechrau'r Oesoedd Canol yn ne canolbarth Cymru, yn cyfateb yn fras i sir Frycheiniog yn ddiweddarach.
Burh	Canolfan gaerog Eingl-Sacsonaidd; sefydlwyd llawer i wrthsefyll y bygythiad Danaidd.
Bylchgrwn	Anghyflawn (am fodrwy). I ddisgrifio math o froetsh sydd â bwlch yn y ddolen rhwng dau ben.
Carolingaidd	Gair i ddisgrifio'r llinach frenhinol a gymerodd le'r Merofingiaid ar y Cyfandir. Fe'i defnyddir yn gyffredinol i olygu'r cyfnod c. 750-900 yng Ngorllewin Ewrop.
Carreg falu	Carreg fechan wastad, gron ar gyfer malu grawn â llaw.
Clincer	Dull o adeiladu cwch ag estyll sy'n gorgyffwrdd.
Cronicl	Cofnod di-dor o ddigwyddiadau yn nhrefn amser.
Cronicl Eingl-Sacsonaidd	Cofnod blynyddol o ddigwyddiadau, yn Saesneg, a ddechreuwyd yn ystod teyrnasiad Alfred Fawr (871-99).
Chwerfan gwerthyd	Pwysyn bychan tyllog o asgwrn, crochenwaith, carreg neu blwm. Câi ei osod ar werthyd,m a byddai'n gweithredu fel chwylolwyn i helpu â nyddu edafedd gwlân.
Danegeld	Y dreth flynyddol (*heregeld*) a sefydlwyd ym 1012 i dalu milwyr cyflog Llychlynnaidd.
Darn prawf	Gelwir hefyd yn 'ddarn motiff'; arno byddai crefftwyr yn ymarfer cynllun. Weithiau, darn o blwm y mae dei neu bwns wedi ei brofi arno.
Deheubarth	Yn llythrennol, 'y rhan ddeheuol'. Am y cyfnod helaethaf, yr oedd yn cyfateb i Ddyfed, Ceredigion, Ystrad Tywi a Brycheiniog.
Dendrocronoleg	Coed-ddyddio. Cyfrifo'r dyddiad y cwympodd coeden trwy fesur maint y cylchoedd twf blynyddol, sy'n amrywio yn ôl amgylchiadau.
Dyddio radiocarbon	Techneg ddyddio sy'n mesur faint o radiocarbon (C14) sydd mewn deunydd organig fel pren ac asgwrn.
Ealdorman	Uchelwr neu ŵr uchel ei fri ymhlith yr Eingl-Sacsoniaid.
ECMW	Byrfodd am V. E. Nash-Williams 1950, *The Early Christian Monuments of Wales*, Caerdydd. Y rhif sy'n dilyn yw rhif y garreg yn y catalog.
Eingl-Sgandinafaidd	Fe'i defnyddir i ddisgrifio'r cymysgedd diwylliannol a ddilynodd y gwladychu yn y nawfed ganrif yng ngogledd a dwyrain Lloegr.

Futhark	Yr wyddor rwnig, ar ôl y chwe symbol cyntaf.
Ffug-fylchgrwn	Gair i ddisgrifio math o froetsh sy'n debyg i'r ffurf fylchgron, ond lle mae'r bwlch yn y ddolen wedi ei gau gan 'bont' addurnol bychan.
Gafol	Gair Hen Saesneg am dreth a delid i fyddinoedd o Lychlynwyr.
Gwyddelig-Lychlynnaidd/ Gwyddelig-Norwyaidd	Term i ddisgrifio'r cymysgedd diwylliannol yn dilyn y gwladychiad Sgandinafaidd yn Iwerddon yn y nawfed ganrif.
Hacarian	Darnau o arian a ddefnyddid fel bwliwn. Fel arfer, darnau a dorrid o froetshis, breichrwyau, ingotau a darnau arian.
Hergeld	'Treth byddin'. Treth flynyddol a gychwynnwyd ym 1012 i dalu milwyr cyflog o Lychlynwyr.
Hobgefn	Cofadail garreg orweddol â chefn crwm fel hob (mochyn) neu do neuadd.
Hoelion gwasgedig	Fe'u defnyddir i gysylltu estyll sy'n gorgyffwrdd (clincer). Hoelion haearn â phen mawr, a yrrir trwy rwy neu wasier ar ffurf petryal neu ddiemwnt, a'u hanffurfio fel na ellir eu tynnu allan.
Iarll	Teitl uchelwrol Seisnig, *earl*, o'r Hen Norwyeg *jarl*.
Jellinge	Arddull gelfyddydol Lychlynnaidd a enwir ar ôl y cynlluniau a gafwyd ar gwpan arian mewn siambr gladdu frenhinol yn Jellinge, Denmark. Ffynnai yn y ddegfed ganrif.
Longphort	Gwersyll llyngesol.
Maerdref	Y trefdir a amgylchynai'r llys, a gâi ei ddal 'mewn demên' gan yr arglwydd.
Magnetomedr	Mae'n mesur amrywiadau bychain iawn ym maes magnetig y ddaear a achosir gan nodweddion a gladdwyd.
Mammen	Dull celfyddydol Lychlynnaidd, a enwyd ar ôl addurn ar fwyell Mammen. Datblygwyd yn ail hanner y ddegfed ganrif/dechrau'r unfed ar ddeg.
Marciau cnydau	Marciau tywyll a golau a welir mewn cnydau sy'n tyfu ac aeddfedu, yn adlewyrchu gwahaniaethau yn y pridd, waliau claddedig neu bydewau a ffosydd.
Midden	Tomen sbwriel.
Milffurf	Ar ffurf anifail (neu ran o anifail); söomorffig.
Niello	Mewnosodiad du wedi ei wneud o gyfansoddyn o sylffid copr neu arian, wedi ei roi ar waith metel fel rheol.
Oes y Llychlynwyr	Cyfnod o hanes Sgandinafaidd o ddiwedd yr wythfed ganrif i'r unfed ganrif ar ddeg. Mae'n dechrau â'r ymosodiadau Llychlynnaidd cyntaf ar Orllewin Ewrop.
Pwysau-gŵydd	Pwysau a wneir o glai llosg neu garreg i dynhau'r edafedd fertigol ar wŷdd.
Ragnarök	Diwedd byd y duwiau paganaidd Sgandinafaidd.
Ringerike	Arddull gelfyddydol Lychlynnaidd a ffynnai yn hanner cyntaf yr unfed ganrif ar ddeg, a enwyd ar ôl rhan o Norwy sy'n gyfoethog ei cherfiadau carreg yn y dull hwn.
Romanésg	Arddull bensaernïol a chelfyddydol a oedd yn gyffredin yng Ngorllewin Ewrop yn ystod y 12fed ganrif.
Rwnau	Llythrennau sgript wedi eu hysgrifennu mewn llinellau syth.

Rhagfur	Wal gynnal neu ffens gynnal i rwystro wyneb serth neu fertigol rhag llithro.
Rhych	Rhych i lawr hyd llafn cleddyf i'w wneud yn ysgafnach a mwy hyblyg.
Saga (Hen Norwyeg)	Yr ystyr wreiddiol oedd 'yr hyn a ddywedir', ond daeth y gair i olygu hanes rhyddiaith a ysgrifennwyd yn y ddeuddegfed ganrif neu'n ddiweddarach.
Sbriw	Darn o fetel sy'n cydio wrth gastiad, wedi iddo galedu yn rhigol y mowld bwrw.
Sceat/Sceatta	Darn bychan o arian, a fathwyd yn Ne Lloegr a Ffrisia yn yr wythfed ganrif.
Stratigraffeg	Egwyddor a fenthyciwyd oddi ar Ddaeareg. Y ffordd y mae un neu ragor o haenau o waddod yn gorwedd y naill ar ben y llall i ffurfio cyfres.
Styca	Darn bychan copr o arian a wnaed yn Northumbria yn y nawfed ganrif.
Twll postyn	Twll a gâi ei dorri yn y tir ar gyfer postyn pren fertigol (sydd fel rheol ar goll neu wedi pydru) a oedd ar un adeg yn cynnal adeilad. Fel rheol mae nodweddion arbennig i'r pridd sy'n llenwi'r twll.
Urnes	Yr arddull gelfyddydol Lychlynnaidd olaf, a enwyd ar ôl eglwys bren addurnedig yn Urnes, Norwy. Datblygwyd yn ail hanner yr unfed ganrif ar ddeg a pharhaodd i'r ddeuddegfed ganrif.
Y Cenhedloedd Duon	Hefyd *Dubgaill*, 'estroniaid duon', sef y Daniaid (a Chaerefrog yn ganolfan i lawer ohonynt).
Y Ddaenfro	Ardal yn Lloegr a oedd dan reolaeth Sgandinafaidd ac yn dilyn cyfraith Sgandinafaidd.
Ynysaidd	Yn perthyn i arddull diwylliant canoloesol cynnar Iwerddon a Phrydain.

Cydnabyddiaeth

Tony Daly o'r Adran Archaeoleg a Nwmismateg, AOGC, fu'n gyfrifol am gynhyrchu'r rhan fwyaf o'r arlunwaith (2, 17, 26, 27, 28, 31, 37, 42, 43, 50, 53, 54, 60, 64, 71, 73, 74, 75, 76, 86, 87, 98, 105, 108, 109, 120, 132, 138, 143, 150, 153).

Yr Adran Ffotograffiaeth, AOGC (yn arbenig Kevin Thomas a Jim Wild) fu'n gyfrifol am ffigurau 9, 15, 16, 22, 24, 29, 30, 32-34, 41, 45-47, 49, 51, 52, 55-57, 59, 61-63, 66-68, 70, 72, 81-85, 90c-d, 94, 99, 107, 110, 111, 113-119, 121-131, 132 xi-xii, 135, 139, 149, 151, 152, 157, 158, 160. Tynnwyd ffigurau 18, 20 gan yr Adran Ddaeareg. Yr awdur a dynnodd ffigurau 3, 13, 21, 25, 35, 36, 38, 39, 48, 69, 77, 79, 88, 89, 91-93, 94-96, 100-104, 106, 112, 133, 134, 137, 141, 144, 146, 147, 155, 156, 159. Tynnwyd ffigurau 132i-x gan Frank Craddock. Gwnaed gwaith cadwraeth ar lawer o'r gwrthrychau a ddarlunnir gan ddwylo medrus Mary Davis, Penny Hill a Louise Mumford.

Gwnaed pob ymdrech i gysylltu â pherchenogion hawlfreintiau. Lle na lwyddwyd i wneud hynny, byddai Amgueddfeydd ac Orielau Cenedlaethol Cymru yn gwerthfawrogi unrhyw wybodaeth a fyddai'n eu galluogi i wneud hynny.

Dymunir diolch i'r unigolion a'r sefydliadau canlynol am ganiatáu tynnu lluniau o wrthrychau o'u heiddo: Amgueddfa ac Oriel Gelf Bangor (62, 83); Amgueddfa ac Oriel Gelf Casnewydd (32, 66, 122, 139); Oriel Ynys Môn (146, 147); I. Carruthers; Dr J. Davis (29); Powysland Museum & Montgomeryshire Canal Centre, Y Trallwng (34).

Diolchir hefyd i'r sefydliadau canlynol am ganiatâd i atgynhyrchu deunydd darluniadol: Cymdeithas Hynafiaethau Cymru (7, 11), Cyngor Dinas Caer (40, 136), Yr Amgueddfa Brydeinig (44, 58); RCAHMW (19, 65, 97); Ymddiriedolaeth Archaeolegol Gwynedd (64); Llyfrgell Genedlaethol Cymru (1, 6); Amgueddfa ac Oriel Gelf Casnewydd (80); Gwasanaeth Amgueddfeydd Amwythig (140); Cymdeithas Hynafiaethwyr Llundain (154); Dr David Griffiths (87). Diolch yn arbennig i Mr Jerry Bond a Mr David Greenhalgh, *Grunal Moneta*, i'r naill am ymddangos yn 69 a'r llall yn 84, 131.

Wrth baratoi'r llyfr hwn bu gofyn imi ymgynghori â llawer o gydweithwyr a derbyn eu cyngor ar faterion arbennig, ac mae fy nyled yn fawr iddynt: Dr Lesly Abrams; Eva Bredsdorff; Alison Brigstocke; Irene Carruthers; Frank Craddock; David Freke; Dr Gillian Fellows-Jensen; Dr David Griffiths; Alun Gruffudd; Dr Richard Hall (York Archaeological Trust); Yr Athro Peter Harper; Yr Athro John Hines; Steve Howe; Dr Judith Jesch; Dr Julie Jones; Alan King; Diana Morgan; Dr J.A.F. Napier; Raghnall Ó Floinn; Yr Athro R. I. Page; Dr Catrin Redknap; Dr Alice Roberts; Tom Sharpe; Jane Standen; Mike Stokes; Bob Trett; Dr Andrew Wawn; Syr David Wilson.

Hoffwn ddiolch yn gynnes iawn i'r canlynol am gymryd amser i gynnig sylwadau hynod fuddiol ar fersiynau cynnar ar y testun: Edward Besly, Margaret Bird, Richard Brewer, Dr Nancy Edwards, John Kenyon, Dr Alan Lane, Yr Athro James Graham-Campbell, Jeremy Knight, Yr Athro Henry Loyn, Susan

Youngs. Hoffwn hefyd gydnabod fy nyled i'r haneswyr a'r archaeolegwyr y dibynnais mor drwm ar eu hymchwil wreiddiol, y nodir llawer ohonynt dan 'Prif Ffynonellau'. Rwyf yn ddiolchgar iawn i Elin ap Hywel am olygu'r testun Cymraeg hwn, ac i Sharon Deal am chwilio am hawlfreintiau.

Hoffwn ddiolch yn arbennig i Roger a Debbie Tebbutt, am eu cefnogaeth hael i'r project yn Llanbedr-goch ac am roi'r darganfyddiadau i Amgueddfeydd ac Orielau Cenedlaethol Cymru; Mr Archie Gillespie a Mr Peter Corbett, a phob canfyddwr metelau sydd wedi dod â'u darganfyddiadau i sylw'r Amgueddfa Genedlaethol a chaniatáu i'r Adran Archaeoleg a Nwmismateg eu cofnodi; y goruchwylwyr a'r cynorthwywyr ar safle Llanbedr-goch (Jerry Bond, Evan Chapman, Mark Lewis, Mark Lodwick, Brian Milton a David Stevens) ac yn olaf, ond yr un mor bwysig, yr holl wirfoddolwyr a gynorthwyodd â'r gwaith cloddio.

Dyfyniadau o ffynonellau gwreiddiol a gyfieithwyd

Y mae'r awdur a'r Amgueddfa yn cydnabod yn ddiolchgar y cyfieithiadau canlynol o waith awduron canoloesol a diweddarach a ddefnyddiwyd yn y llyfr hwn:

J. P. Clancy (cyf.) 1970, *Armes Prydain* yn *The Earliest Welsh Poetry* (London, Macmillan).

T. Conran (cyf.) 1986, *Cynddylan's Hall* yn *Welsh Verse* (Bridgend, Poetry Wales Press, Seren).

G. N. Garmonsway (cyf.) 1986, *The Anglo-Saxon Chronicle* (Guernsey, Everyman Classics).

C. W. Heckethorn (cyf.) 1856, *The Frithjof Saga; A Scandinavian Romance*, gan E. Tegner, London.

K. H. Jackson 1935, 'Stanza xxxiii', *Studies in Early Celtic Nature Poetry*, (Cambridge University Press), 32.

J. Jesch 1996, 'Norse historical traditions and the *Historia Gruffud vab Kenan*: Magnús berfoettr and Haraldr hárfagri', yn K. Maund, *Gruffudd ap Cynan. A Collaborative Biography.* Studies in Celtic History (Woodbridge, Boydell Press), 117-47.

T. Jones (cyf.) 1972, (Ail argraffiad), *Brut y Tywysogyon or Chronicle of the Princes. Red Book of Hergest Version*, Bwrdd Astudiaethau Celtaidd, Gwasg Prifysgol Cymru, History and Law Series no 16, Caerdydd.

S. Keynes & M. Lapidge (cyf.) 1983, *'Aethelweard's chronicle'* yn *Alfred the Great. Asser's Life of King Alfred and other contemporary sources* (London, Penguin).

C. Larrington (cyf.) 1996, *The Poetic Edda* (Oxford, Oxford University Press).

H. Pálsson a P. Edwards (cyf.) 1978, *Orkneyinga Saga. The History of the Earls of Orkney* (London, Chatto & Windus).

L. Thorpe (cyf.) 1978, *Gerald of Wales, The Journey through Wales and Description of Wales* (London, Penguin).

A. W. Wade-Evans (cyf.) 1944, *Vitae Sanctorum Britanniae et Genealogiae* (Caerdydd, Gwasg Prifysgol Cymru).

D. Whitelock (cyf.) 1961, *The Anglo-Saxon Chronicle, a revised translation* (London, Eyre and Spottiswoode).

D. Whitelock 1979, *English Historical Documents c. 500-1042.* English History Documents Vol. 1 (2nd ed.), London.

Troswyd y dyfyniad o *Annals of Ireland. Three Fragments*, o gyfeithiad gan yr Athro I. Ll. Foster, yn *Scandinavian England* gan F.T. Wainwright, golygwyd gan H.R.P. Finberg, cyhoeddwyd ym 1975 gan Phillimore & Co. Ltd., Shopwyke Manor Barn, Chichester, West Sussex, ac fe'i hatgynhyrchir trwy ganiatâd caredig.

Prif Ffynonellau

Paganiaid

H.B. Clarke, M. Ní Mhaonaigh ac R. Ó Floinn (goln.) 1998, *Ireland and Scandinavia in the Early Viking Age*, Dublin.

W. Davies 1982, *Wales in the Early Middle Ages. Studies in the Early History of Britain*, Leicester.

W. Davies 1990, *Patterns of Power in Early Wales*, Oxford.

P. Foote a D. M. Wilson 1970, *The Viking Achievement*, London.

J. Graham-Campbell, gyda C. Batey, H. Clarke, R. I. Page ac N. S. Price 1994, *Cultural Atlas of the Viking World*, Abingdon.

J. Graham-Campbell a C.E. Batey 1998, *Vikings in Scotland. An Archaeological Survey*, Edinburgh.

J. Haywood 1995, *The Penguin Historical Atlas of the Vikings*, Harmondsworth.

H. R. Loyn 1976, *The Vikings in Wales*, Darlith Goffa Dorothea Coke, London.

H. R. Loyn 1994, *The Viking Age in Britain*. Historical Association Studies, Oxford.

E. Roesdahl a D. M. Wilson (goln.) 1992, *From Viking to Crusader: The Scandinavians and Europe 800-1200* (Copenhagen/New York: Nordic Council of Ministers, 22nd Council of Europe Exhibition).

P. Sawyer (gol.) 1997, *The Oxford Illustrated History of the Vikings*, Oxford.

A. P. Smyth 1975, *Scandinavian York and Dublin*, Dublin (2 gyf.).

Geni Myth Llychlynnaidd

N. F. Blake (gol.) 1962, *The Saga of the Jomsvikings*, London.

A. G. Moffat 1903, 'Palnatoki in Wales', *Saga Book of the Viking Club* 3/2, 163-73.

E. Peters 1991, *The Summer of the Danes*, London.

G. E. Powell ac Eiríkur Magnússon (cyf.) 1864, *Icelandic legends* (casglwyd gan Jón Arnason), London.

G. E. Powell ac Eiríkur Magnússon (cyf.) 1866, *Icelandic legends* (casglwyd gan Jón Arnason). Second series. London.

A. Waun 1992, 'The Spirit of 1892: sagas, saga-steads and Victorian philology', *Saga-Book* 23, 213-52.

R. Williams 1990, *People of the Black Mountains II. The Eggs and the Eagle*. London, Chatto & Windus.

Moroedd Newydd

Anhysbys 1846, 'Saxon coins found at Bangor, Caernarvonshire', *Archaeologia Cambrensis* l, 276.

J. O'Donovan (gol.) 1860, *Annals of Ireland. Three Fragments by Dubhaltach mac Firbisigh*, Dublin.

R. Fenton 1811, *A Historical Tour through Pembrokeshire*, London, yn enw. 135-36, 161, 412, 538, 555.

W. B. Jones 1875, 'Inaugural Address, Carmarthen Meeting', *Archaeologia Cambrensis* 6, 388 ff.

N. Nicolaysen 1882, *Langskibet fra Gokstad ved Sandefjord (The Viking Ship Discovered at Gokstad in Norway)*. Kristiana.

D. Powel 1584, *The historie of Cambria, now called Wales: A part of the most famous Yland of Brytaine, Written in the British language above two hundreth yeares past: [Caradoc of Llancarfan, 1156]: translated into English by H. Lluyd, Gentleman: Converted, augmented and continued out of records and best approoved Authors, by David Powel*, London.

Enwau Lleoedd Llychlynnaidd

B. G. Charles 1934, *Old Norse Relations with Wales*, Gwasg Prifysgol Cymru, Caerdydd.

B. G. Charles 1938, *Non-Celtic Place-Names in Wales*, London.

B. G. Charles 1992, *Pembrokeshire Place-names*, Llyfrgell Genedlaethol Cymru (2 gyf.), Aberystwyth.

G. Fellows-Jensen 1992, 'Scandinavian place-names of the Irish Sea province', yn J. Graham-Campbell (gol.), *Viking Treasure from the North West. The Cuerdale Hoard and its Context*, National Museums & Galleries of Merseyside Occasional Papers Liverpool Museum No.5, 31-42.

G. O. Pierce 1984, 'The evidence of place-names', Atodiad II i'r *Glamorgan County History* Volume II (gol. G. Williams), Caerdydd, 456-92.

D. R. Paterson 1921, 'Early Cardiff. With a short account of its street-names and surrounding place-names', *Transactions of the Cardiff Naturalists' Society* 54, 11-71.

M. Richards 1962, 'Norse Place-names in Wales', yn B. Ó Cuív (gol.), *Proceedings of the First International Congress of Celtic Studies, Dublin, 6-10 July, 1959*, Dublin, 51-60, ailargraffwyd yn B.Ó Cuív 1975, *The Impact of the Scandinavian Invasions on the Celtic-speaking Peoples c. 800-1100AD*, Dublin.

Gwaed Llychlynnaidd

I. Morgan-Watkins 1952, 'Blood groups in Wales and the Marches', *Man* (1952), 83-86.

I. Morgan-Watkins 1986, 'ABO Blood group distribution in Wales in Relation to Human Settlement', yn P. S. Sawyer ac E. Sunderland (goln.), *Genetic & Population Studies in Wales*, 118-46, Gwasg Prifysgol Cymru, Caerdydd.

W. T. W. Potts 1976, 'History and blood groups in the British Isles', yn P. H. Sawyer (gol.), *Medieval Settlement*, 236-53.

E. Sunderland 1976, 'Comment on *'History and blood groups in the British Isles'* by W. T. W. Potts', yn P. H. Sawyer (gol.), *Medieval Settlement*, 254-61.

Y Teyrnasoedd Brodorol

W. Davies 1982, *Wales in the Early Middle Ages. Studies in the Early History of Britain*, Leicester.

W. Rees 1951, *An Historical Atlas of Wales from Early to Modern Times*, Cardiff.

Y Dyfod Cyntaf

J. Graham-Campbell 1995, 'The Irish Sea Vikings; raiders and settlers', yn T. Scott & P. Starkey (goln.), *The Middle Ages in the North West*, 59-83.

S. Keynes ac M. Lapidge 1983, *Alfred the Great. Asser's Life of King Alfred and other contemporary sources*, London.

Brwydr Tal-y-bont

W. Boyd Dawkins 1873, 'On some human remains found at Buttington, Montgomeryshire', *Montgomeryshire Collections* 6, 141-45.

C. W. Dymond 1900, 'On the identification of the site of "Buttingtune" of the *Saxon Chronicle*, anno 894', *Montgomeryshire Collections* 31, 337-46.

T. Morgan Owen 1874, 'The Battle of Buttington 894 with a brief sketch of the affairs of Powys and Mercia', *Montgomeryshire Collections* 7, 249-66.

I. McDougall 1995, 'Discretion and deceit: a re-examination of military stratagem in *Egils saga*', yn T. Scott a P. Starkey (goln.), *The Middle Ages in the North-West*, Oxford, 109-42.

Gwarchae yng Nghaer

F. T. Wainwright 1942, 'North-West Mercia, 871-924', *Transactions of the Historical Society of Lancashire and Cheshire* 94, 3-56.

S. Ward ac eraill 1994, *Excavations at Chester. Saxon Occupation within the Roman Fortress. Sites excavated 1971-81*. Archaeological Service Excavation and Survey Reports No.7, Chester.

Yr Ail Gyfnod

D. Griffiths 1995, 'The north-west Mercian burhs. A reappraisal', *Anglo-Saxon Studies in Archaeology & History* 8, 75-86.

H. Quinnel, M. R. Blockley a P. Berridge 1994, *Excavations at Rhuddlan, Clwyd 1969-73. Mesolithic to Medieval*, Adroddiad Ymchwil CBA 95.

Ynys Öngul

F. T. Wainwright 1948, 'Ingimund's invasion', *English Historical Review* 63, 145-69.

Y Cyrchoedd Diweddarach

J. Jesch 1996, 'Norse historical traditions and the Historia Gruffud vab Kenan: Magnús berfoettr and Haraldr hárfagri', yn K. Maund, *Gruffudd ap Cynan. A Collaborative Biography*, 117-47.

D. Longley 1991, 'The excavation of Castell, Porth Trefadog, a coastal promontory fort in North Wales', *Medieval Archaeology* 35, 64-85.

D. Simon Evans 1990, *Historia Gruffud vab Kenan*, Llanbedr Pont Steffan.

Y Rhyfelwr Llychlynnaidd

M. Biddle a B. Kjølbye-Biddle 1992, 'Repton and the Vikings', *Antiquity* 66, 36-51.

J. K. Knight 1996, 'Late Roman and Post-Roman Caerwent. Some evidence from the metalwork', *Archaeologia Cambrensis* 145, 34-66.

M. Redknap 1992, 'Remarkable Viking find in remote site', *Amgueddfa* (Gaeaf 1992), 9.

W. A. Seaby a P. Woodfield 1980, 'Viking stirrups from England and their background', *Medieval Archaeology* 24, 87-122.

Meistri'r Cefnforoedd

G. Bersu a D. M. Wilson 1966, *Three Viking Graves in the Isle of Man*, Society of Medieval Archaeology Monograph 1, London.

O. Crumlin-Pedersen 1991, 'Ship types and sizes AD 800-1400', yn O. Crumlin-Pedersen (gol.), *Aspects of Maritime Scandinavia AD 200-1200*, Roskilde, 69-82.

A. G. Moffat 1901-3, 'Palnatoki in Wales', *Saga-Book of the Viking Club 3*, 163-73.

O. Morgan 1878, 'The Ancient Danish vessel, found near the mouth of the River Usk', *Archaeological Journal* 35, 403-5.

O. Morgan 1882, *Ancient Danish vessel discovered at the mouth of the Usk*, Monmouthshire and Caerleon Antiquarian Association, Casnewydd, 23-26.

Trysorau

G. C. Boon, 1986, *Welsh Coin Hoards*, Cardiff.

D. W. Dykes, 1976, *Anglo-Saxon Coins in the National Museum of Wales*, Cardiff.

D. Griffiths 1992, 'The coastal trading ports of the Irish Sea', yn J. Graham-Campbell (gol.), *Viking Treasure from the North West. The Cuerdale Hoard and its Context*, National Museums & Galleries of Merseyside Occasional Papers Liverpool Museum No. 5, 63-72.

J. A. Rutter 1985, 'The Pottery' yn D. J. Mason, *Excavations at Chester. 26-42 Lower Bridge Street 1974-6. The Dark Age and Saxon Periods*, Grosvenor Museum Archaeological Excavation and Survey Report No.3, 40-56

Torri Tir Newydd. Llanbedr-goch: o Fferm yn Ganolfan Fasnach

Archaeology in Wales. Adroddiadau Blynyddol CBA.

M. Redknap 1998, 'The quest for Anglesey Vikings - the evidence of coin hoards and archaeology', *Minerva* 9.4, 49-51.

M. Redknap 1998, 'Limits of Viking influence in Wales', *British Archaeology* 40, 12-13

M. Redknap 1999, 'Excavation of a Viking Age site at Llanbedrgoch on Anglesey', *Viking Heritage Newsletter* 4, 9-11.

Am fanylion pellach gweler *Cloddio am Lychlynwyr* ar *http://www.nmgw.ac.uk/archaeol/anglesey/*

Tŷ a Chartref

P. F. Wallace 1992, *The Viking Age Buildings of Dublin*, National Museum of Ireland Medieval Dublin Excavations 1962-81, Series B vol. 1, Royal Irish Academy.

Gwisg

T. Fanning 1994, *Viking Age Ringed Pins from Dublin*, National Museum of Ireland Medieval Dublin Excavations 1962-81, Series B, vol. 4, Royal Irish Academy.

Prosesau Crefft

J. Graham-Campbell, ynghyd ag C. Batey, H. Clarke, R. I. Page ac N. S. Price 1994, *Cultural Atlas of the Viking World*, Abingdon.

Arddull Addurniadol y Llychlynwyr

R. N. Bailey 1980, *Viking Age Sculpture in Northern England*, London.

N. Edwards 1999, 'Viking-influenced sculpture in North Wales; its ornament and context', *Church Archaeology* 3, 5-16.

J. Graham-Campell 1985, 'Two Scandinavian disc brooches of Viking Age date from England', *Medieval Archaeology* 65, 448-49.

S. Margeson 1984-6, 'A group of late Saxon mounts from Norfolk', *Norfolk Archaeology* 39, 323-27.

O. Owen ac R. Trett 1979/80, 'A Viking Urnes Style Mount from Sedgeford', *Norfolk Archaeology* 37, 353-54 a 'Further Note' gan S. M. Margeson, 355.

D. M. Wilson ac O. Klindt-Jensen 1966, *Viking Art*, London.

D. M. Wilson 1995, 'Scandinavian ornamental influence in the Irish Sea region in the Viking Age', yn T. Scott a P. Starkey (goln.), *The Middle Ages in the North West*, 36-57.

Credoau Paganaidd Llychlynnaidd

R. I. Page 1990, *Norse Myths*, London.

E. Roesdahl a D. M. Wilson (goln.) 1992, *From Viking to Crusader: The Scandinavians and Europe 800-1200* (Copenhagen: Nordic Council of Ministers, 22nd Council of Europe Exhibition).

Marw a Chladdu

N. Edwards 1985, 'A possible Viking grave from Benllech, Anglesey', *Anglesey Antiquarian Society and Field Club Transactions* (1985), 19-24.

C. Fox 1940, 'An Irish bronze pin from Anglesey', *Archaeologia Cambrensis* 95, 248.

D. Freke *et al* (yn yr arfaeth), *Excavations on St Patrick's Isle, Peel, Isle of Man: Prehistoric, Viking, Medieval and Later, 1982-8* (Liverpool University Press).

R. Ó Floinn 1998,'The archaeology of the Early Viking Age in Ireland', yn H. B. Clarke, M. Ní Mhaonaigh ac R. Ó Floinn (goln.), *Ireland and Scandinavia in the Early Viking Age*, Dublin, 131-65.

F. G. Smith 1931-2, 'Talacre and the Viking grave', *Proceedings of the Llandudno, Colwyn Bay and District Field Club* 17, 42-50.

I. Williams 1945, 'Recent finds in Anglesey: Benllech', *Anglesey Antiquarian Society and Field Club Transactions* (1945), 21-23.

Y Llychlynwyr Cristnogol. Y Diwedd yng Nghymru

N. J. Higham 1997, *The Death of Anglo-Saxon England*, Sutton Press, Stroud.

M. K. Lawson 1993, *Cnut: the Danes in England in the early eleventh century*, Longman.

R. Moon 1978, 'Viking runic inscriptions in Wales', *Archaeologia Cambrensis* 127, 124-26.

V. E. Nash-Williams 1950, *The Early Christian Monuments of Wales*, Cardiff.

R. I. Page 1973, *An Introduction to English Runes*, London.

R. I. Page 1998, *Runes and Runic Inscriptions. Collected Essays on Anglo-Saxon and Viking*, Boydell Press.